#홈스쿨링
#혼자공부하기

똑똑한
하루
글쓰기

Chunjae
Makes
Chunjae

▼

[똑똑한 하루 글쓰기] 1A

기획총괄 박진영
편집개발 전종현, 이재인, 김민숙, 백경민, 박지윤
디자인총괄 김희정
표지디자인 윤순미, 김지현
내지디자인 박희춘, 배미현
제작 황성진, 조규영

발행일 2021년 1월 15일 초판 2021년 12월 15일 3쇄
발행인 (주)천재교육
주소 서울시 금천구 가산로9길 54
신고번호 제2001-000018호
고객센터 1577-0902

※ 정답 분실 시에는 천재교육 교재 홈페이지에서 내려받으세요.
※ KC 마크는 이 제품이 공통안전기준에 적합하였음을 의미합니다.
※ 주의
책 모서리에 다칠 수 있으니 주의하시기 바랍니다.
부주의로 인한 사고의 경우 책임지지 않습니다.
8세 미만의 어린이는 부모님의 관리가 필요합니다.

1단계 A 공부할 내용 한눈에 보기!

1주 문장을 써 보자!

2주 헷갈리기 쉬운 낱말을 바르게 써 보자!

똑똑한 하루 글쓰기를 함께 할 친구들을 소개합니다.

바밤별에서 글쓰기를 배우러 온 외계인 친구 밤톨! 엉뚱발랄한 달래와 잘난 척 왕자 기찬을 만나 함께 공부하며 글쓰기 실력이 쑥쑥 자라고 있대요.

3주 쪽지를 써 보자!

4주 그림일기를 써 보자!

글쓰기 공부를 도와주는 글봇과 말하는 판다 판판도 글쓰기 공부를 함께 할 거예요.
글쓰기 채널을 운영하는 똑똑TV 똑똑이와 술술TV 술술이도 기억해 주세요.

글쓰기, 어떻게 시작할까요?

똑똑한 글쓰기 질문 하나!

글쓰기 공부 왜 필요할까요?

자신의 생각을 표현하는 수단이자 모든 학습의 바탕이 되는 활동이 바로 글쓰기예요. 특히 배운 내용을 정리하고, 이해한 것을 글로 풀어내는 글쓰기 능력은 모든 과목 학습 성취에 큰 영향을 끼친답니다.

똑똑한 글쓰기 질문 둘!

계속되는 글쓰기 공부의 실패 원인은 무엇일까요?

글쓰기를 시작하는 순간부터 아이들은 무엇을 써야 할지, 어떻게 표현할지, 어떻게 고쳐야 자연스러울지 등 많은 고민을 하게 되고, 이를 힘들어한답니다. 이렇게 복잡하고 어려운 글쓰기 과정이 익숙해지지 않았을 때 "이것 한번 써 보렴." 하고 과제를 주면 돌아오는 대답은 "엄마, 글쓰기가 싫어요!"일 수밖에 없을 거예요. 그래서 『똑똑한 하루 글쓰기』는 아이들이 차츰 글쓰기에 익숙해지고 재미를 붙여 나갈 수 있도록 만들었답니다.

똑똑한 글쓰기 질문 셋!

글쓰기 공부 어떻게 시작해야 할까요?

쉽고 재미있는 『똑똑한 하루 글쓰기』로 시작해 보세요. 만화와 게임 형식의 문제로 글쓰기 개념을 익히고, 낱말 쓰기부터 한 편 쓰기까지 단계별로 글쓰기를 연습할 수 있어요. 그리고 받아쓰기를 통해 맞춤법 실력을 키우고, 내 생각 쓰기로 마무리하며 창의적 글쓰기까지 연습할 수 있답니다. 하루하루 꾸준히 공부해서 한 권을 끝내면 글쓰기 실력과 함께 자신감도 쑥쑥 자랄 거예요.

이 책의 특징과 장점

똑똑한 하루 글쓰기로 똑똑해지자!

똑똑한 하루 글쓰기!

왜 똑똑한 하루 글쓰기일까요?

1 **10분**이면 **하루 글쓰기 끝!** 쉽고 재미있는 글쓰기 공부!

2 교과 학습 과정을 반영한 **갈래별 글쓰기!** 매주 다양한 갈래로 즐거운 학습!

3 **단계별 글쓰기**로 글쓰기 실력 향상! 낱말 쓰기부터 한 편 쓰기까지!

4 **받아쓰기**로 기초 실력 다지기! 맞춤법 실력이 쑥쑥!

5 **창의・융합・코딩**으로 사고력 넓히기! 생활 어휘부터 코딩 학습까지!

구성과 활용 방법

주 도입

한 주 동안 공부할 내용을 만화로 미리 살펴보고, 한 주의 글쓰기 개념을 만화와 문제로 확인합니다.

똑똑한 하루 글쓰기 코스

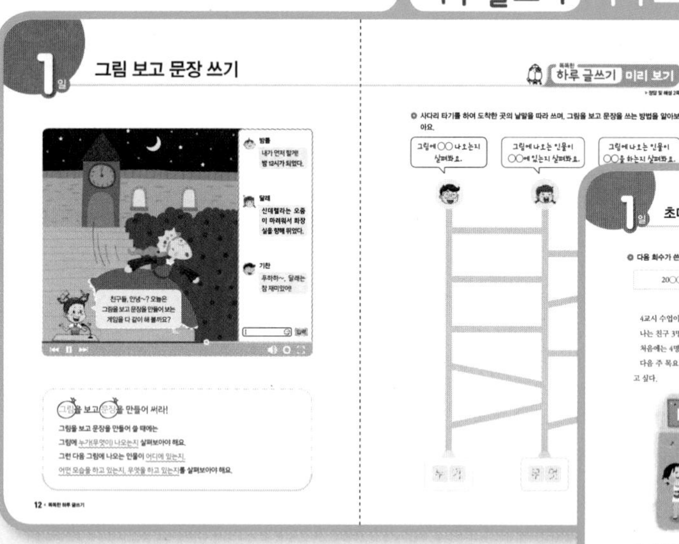

글쓰기 개념 익히기

캐릭터들의 재미있는 대화와 게임 형식의 확인 문제로 핵심 글쓰기 개념을 익힙니다.

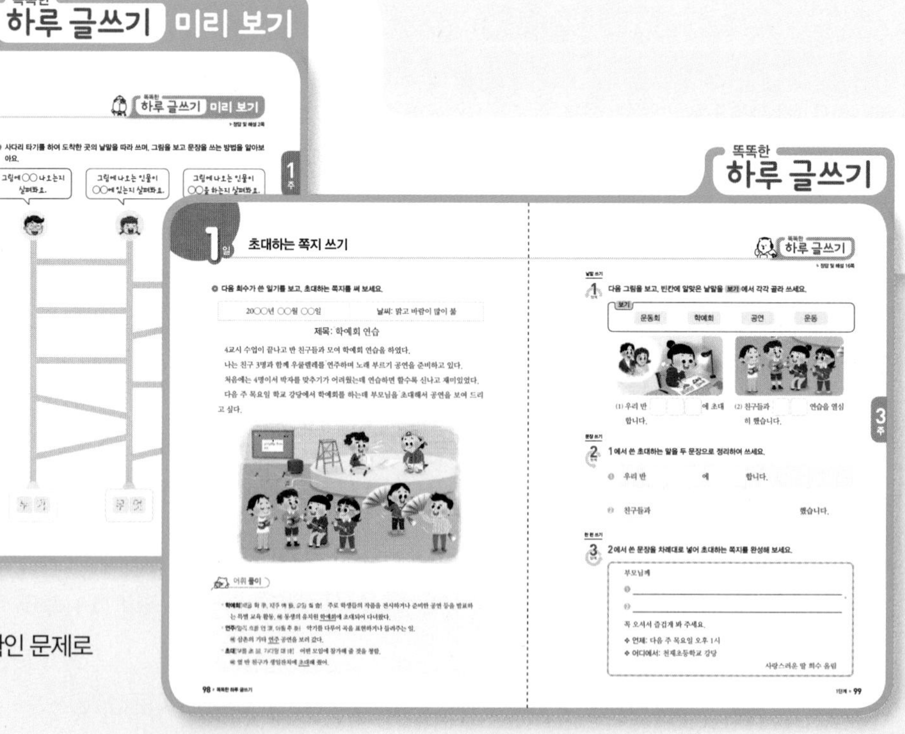

단계별 글쓰기

다양한 글쓰기 상황을 살펴보고, '낱말 쓰기 → 문장 쓰기 → 한 편 쓰기'를 단계별로 학습하며 쉽고 재미있게 글쓰기를 연습합니다.

똑똑한 하루 글쓰기 받아쓰기

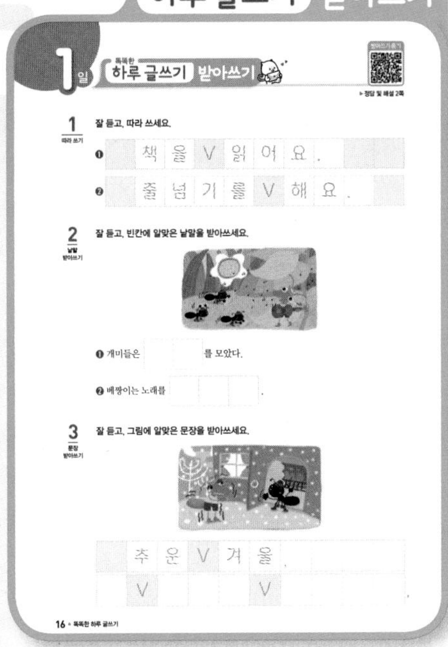

받아쓰기

'따라 쓰기 → 낱말 받아쓰기 → 문장 받아쓰기'를 통해 글쓰기 개념에 맞는 문장을 익히고 맞춤법 실력을 다집니다.

똑똑한 하루 글쓰기 마무리

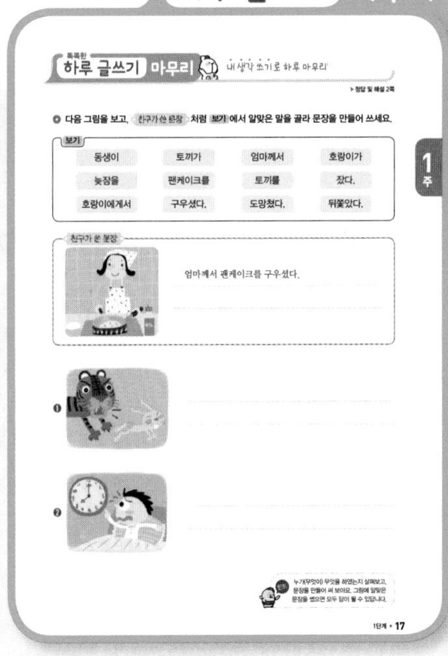

내 생각 쓰기로 마무리

하루 학습 목표에 맞게 제시된 주제에 대한 내 생각 쓰기로 하루의 글쓰기 학습을 마무리합니다.

주 특강

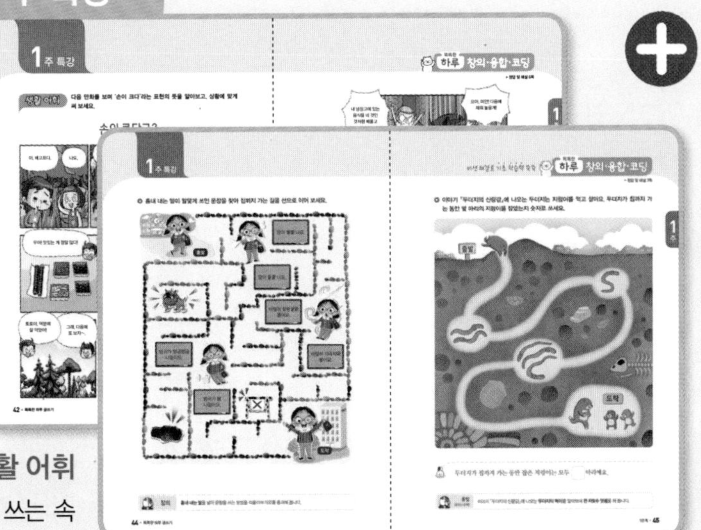

생활 어휘

생활 속에서 자주 쓰는 속담과 관용어의 뜻과 쓰임을 만화로 익힙니다.

창의·융합·코딩 미션

게임 형식의 창의·융합·코딩 미션을 해결하며 재미있게 한 주의 중요 어휘를 확인하고 다양한 배경지식을 넓힙니다.

누구나 100점 테스트

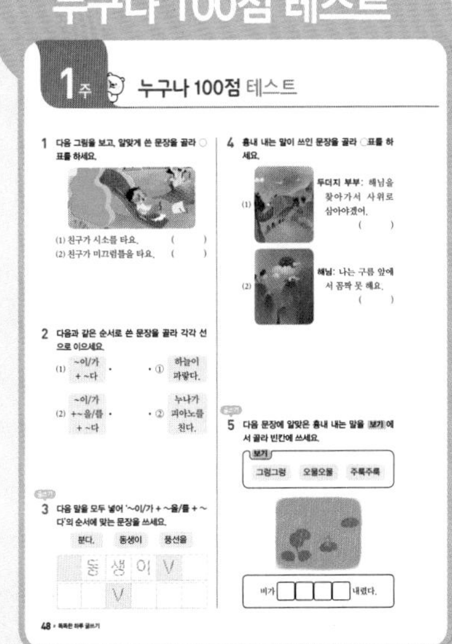

누구나 100점 테스트

한 주 동안 공부한 내용을 평가하며 갈래별 글쓰기 실력을 확인합니다.

친구들과 약속해요!

우리 같이 약속해요!

첫째, 하루하루 빠짐없이 꾸준히 공부하기!

둘째, 하루 글쓰기 문제 끝까지 다 풀기!

셋째, 또박또박 바르게 글씨 쓰기!

약속하는 사람 ______________

쉽고 재미있는
『똑똑한 하루 글쓰기』로
첫 글쓰기 공부를 시작해 봐요.

똑 똑 한

하루 글쓰기

1주 이번 주에는 무엇을 공부할까? ①

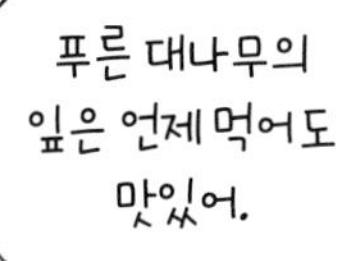

1 주

문장을 써 보자!

- 1일 그림 보고 문장 쓰기
- 2일 알맞은 순서로 문장 쓰기
- 3일 흉내 내는 말을 넣어 문장 쓰기
- 4일 꾸며 주는 말을 넣어 문장 쓰기
- 5일 생각이나 느낌을 나타내는 문장 쓰기

1 주 이번 주에는 무엇을 공부할까? ❷

1-1 알맞은 순서로 쓴 문장을 골라 ○표를 하세요.

(1) 참새가 노래를 부른다. (　　　)

(2) 부른다 노래를 참새가. (　　　)

1-2 다음 그림을 보고, 문장이 '~이/가 + ~을/를 + ~다'의 순서가 되도록 보기 에서 알맞은 말을 골라 빈칸에 쓰세요.

보기

스테이크가	어머니께서
점심을	요리한다.

형이 [　　　　　　] 먹는다.

1
주

▶정답 및 해설 2쪽

2-1 다음 문장에서 흉내 내는 말을 골라 ○표를 하세요.

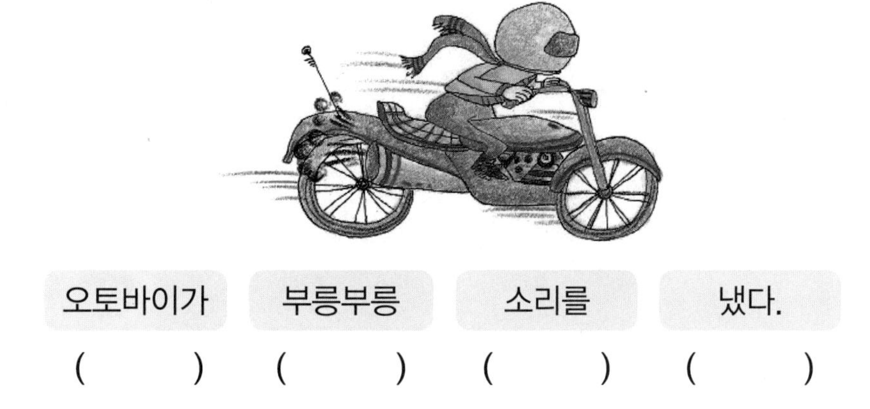

오토바이가	부릉부릉	소리를	냈다.
(　　)	(　　)	(　　)	(　　)

2-2 다음 그림을 보고, 보기 에서 알맞은 흉내 내는 말을 골라 쓰세요.

보기

짹짹	부엉부엉
뒤뚱뒤뚱	응애응애

부엉이가 (　　　　) 운다.

1일 그림 보고 문장 쓰기

그림을 보고 문장을 만들어 쓸 때에는
그림에 누가(무엇이) 나오는지 살펴보아야 해요.
그런 다음 그림에 나오는 인물이 어디에 있는지,
어떤 모습을 하고 있는지, 무엇을 하고 있는지를 살펴보아야 해요.

▶정답 및 해설 2쪽

◎ 사다리 타기를 하여 도착한 곳의 낱말을 따라 쓰며, 그림을 보고 문장을 쓰는 방법을 알아보아요.

1일 그림 보고 문장 쓰기

다음 글과 그림을 보고, 알맞은 문장을 만들어 쓰세요.

그림에서 다솔, 경민, 지은이가 무엇을 하고 있는지, 또는 이 친구들에게 어떤 일이 일어났는지 잘 살펴보세요. 그런 다음 그림에 알맞은 문장을 만들어 써 보세요.

- 다솔이가 책을 읽어요.
- 경민이가 줄넘기를 해요.
- 지은이가 그네에서 떨어졌어요.

이와 같이 그림을 보고 문장을 만들어 써 보는 연습을 더 해 볼까요?

▶정답 및 해설 2쪽

낱말 쓰기

다음 그림을 보고, 누가 무엇을 하고 있는지 빈칸에 알맞은 낱말을 각각 쓰세요.

(1) 아이들이 ㅁ ㄹ 놀이를 해요.

(2) 친구가 ㅁ ㄲ ㄹ ㅌ 을 타요.

문장 쓰기

다음 그림을 보고, 보기 에서 알맞은 말을 골라 문장을 완성하세요.

보기
- 토끼가 거북을 이겼다.
- 거북이 토끼를 이겼다.

(1) 달리기 경주에서

보기
- 거북이 승리를 기뻐했다.
- 거북이 눈물을 흘렸다.

(2) 경주가 끝난 뒤

똑똑한 하루 글쓰기 받아쓰기

▶정답 및 해설 2쪽

1 따라 쓰기

잘 듣고, 따라 쓰세요.

❶ 책을 V 읽어요.

❷ 줄넘기를 V 해요.

2 낱말 받아쓰기

잘 듣고, 빈칸에 알맞은 낱말을 받아쓰세요.

❶ 개미들은 [ ][ ]를 모았다.

❷ 베짱이는 노래를 [ ][ ][ ].

3 문장 받아쓰기

잘 듣고, 그림에 알맞은 문장을 받아쓰세요.

추운 V 겨울,

[ ] V [ ][ ][ ][ ] V [ ][ ][ ][ ].

▶정답 및 해설 2쪽

다음 그림을 보고, 친구가 쓴 문장 처럼 보기 에서 알맞은 말을 골라 문장을 만들어 쓰세요.

보기

동생이	토끼가	엄마께서	호랑이가
늦잠을	팬케이크를	토끼를	잤다.
호랑이에게서	구우셨다.	도망쳤다.	뒤쫓았다.

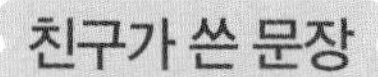
친구가 쓴 문장

엄마께서 팬케이크를 구우셨다.

❶ 

❷ 

누가(무엇이) 무엇을 하였는지 살펴보고, 문장을 만들어 써 보아요. 그림에 알맞은 문장을 썼으면 모두 답이 될 수 있답니다.

2일 알맞은 순서로 문장 쓰기

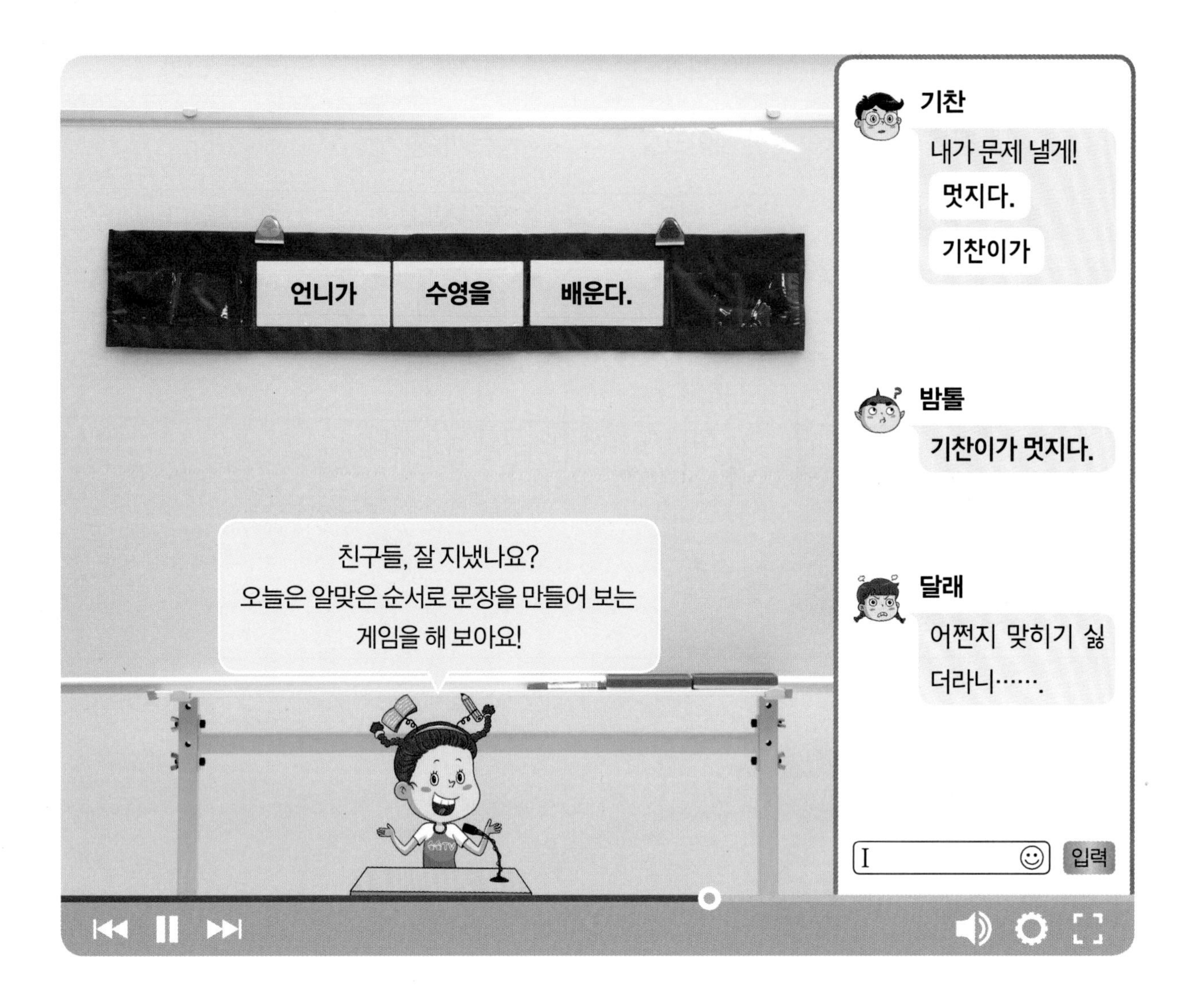

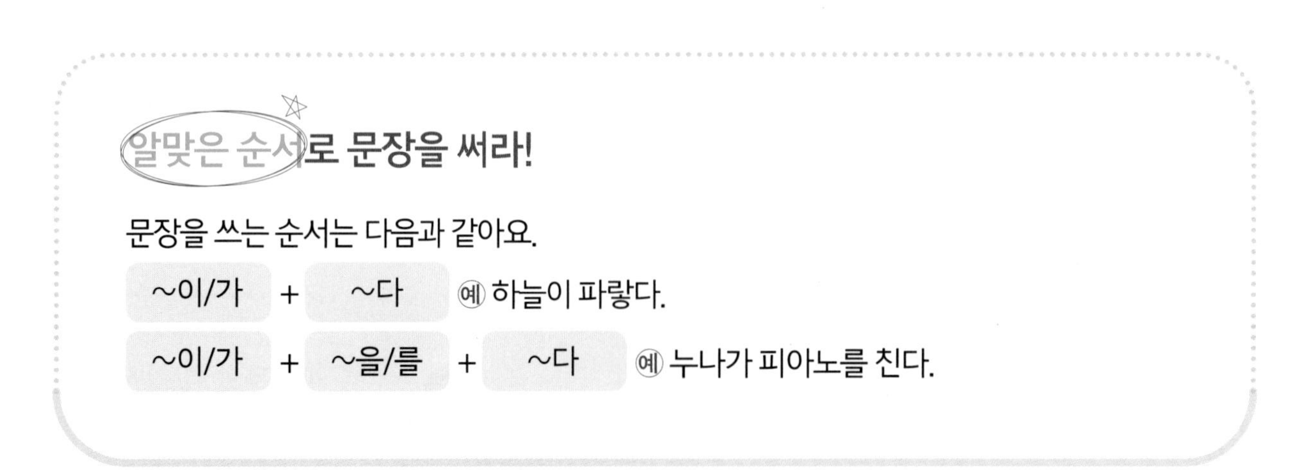

알맞은 순서로 문장을 써라!

문장을 쓰는 순서는 다음과 같아요.

~이/가 + ~다 예) 하늘이 파랗다.

~이/가 + ~을/를 + ~다 예) 누나가 피아노를 친다.

▶정답 및 해설 3쪽

그림에 맞는 퍼즐 모양을 찾아 선으로 잇고, 알맞은 순서로 문장을 쓰는 방법을 알아보아요.

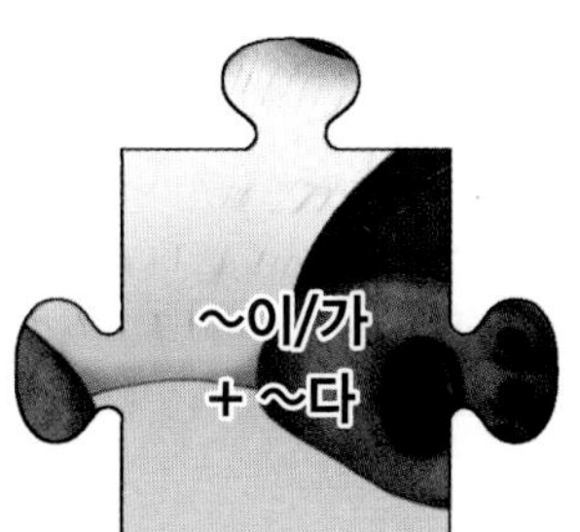

문장을 쓰는 순서를 생각하며 문장을 따라 쓰세요.

	판	다	가	V	대	나	무	의	V
잎	을	V	먹	는	다	.			

알맞은 순서로 문장 쓰기

● 다음 대화를 읽고, 알맞은 순서로 문장을 쓰세요.

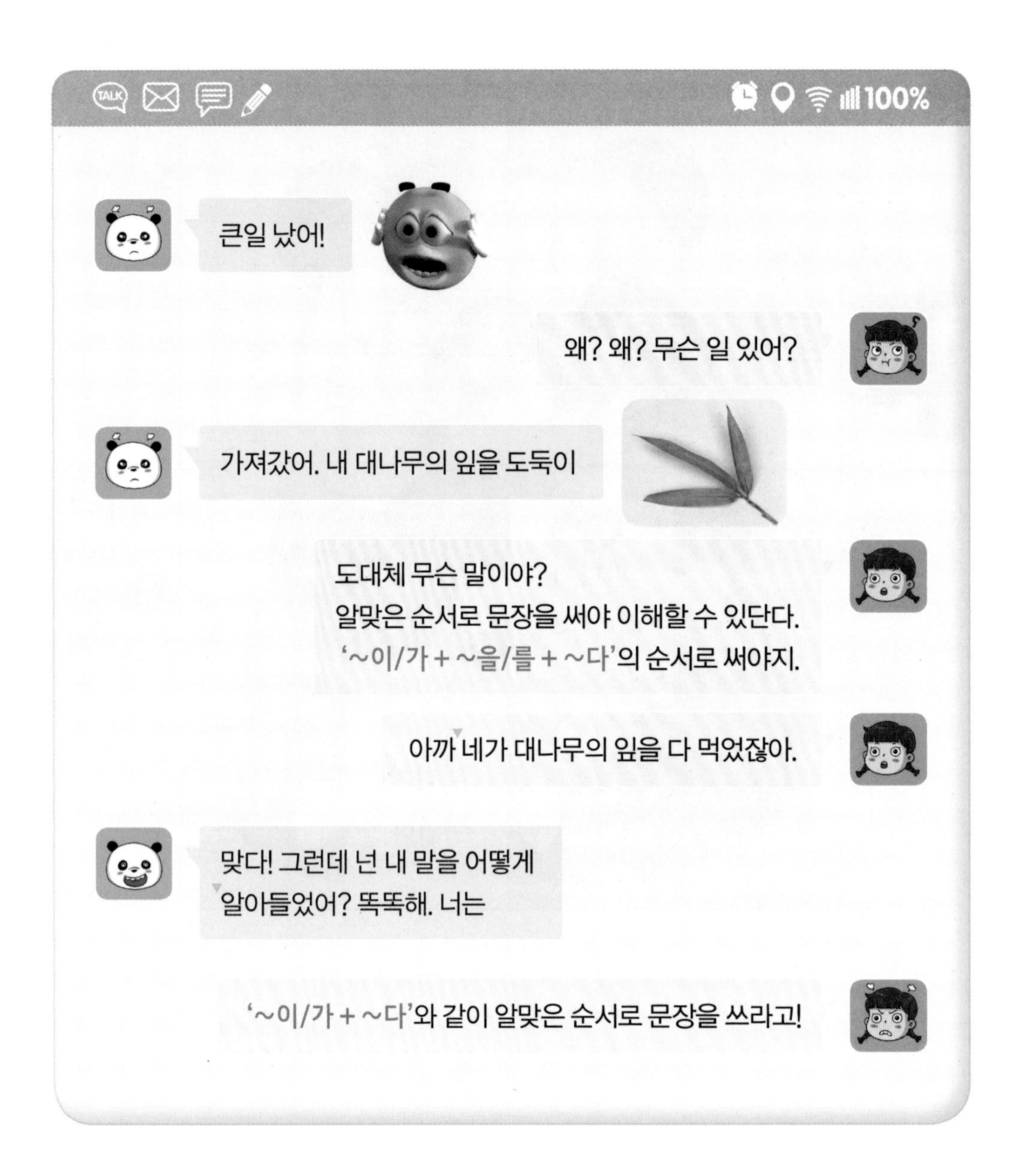

어휘 풀이

▾**네** '너'에 '~가'가 붙을 때의 형태. ㉸ 네가 나 좀 도와줄래?

▾**알아들었어** 남의 말을 듣고 그 뜻을 알았어.
㉸ 형, 형이 한 말 나 이미 알아들었어.

▶정답 및 해설 3쪽

날말 쓰기

문장이 다음과 같은 순서가 되도록 빈칸에 알맞은 낱말을 각각 쓰세요.

(1) ~이/가 + ~다

→ 달래가 [ㄸ] [ㄸ] 하다.

(2) ~이/가 + ~을/를 + ~다

→ 도둑이 내 [ㄷ] [ㄴ] [ㅁ] 의 잎을 가져갔다.

문장 쓰기

다음 말을 모두 넣어 '~이/가 + ~을/를 + ~다'의 순서에 맞는 문장을 쓰세요.

(1) 동생이 탄다. 자전거를

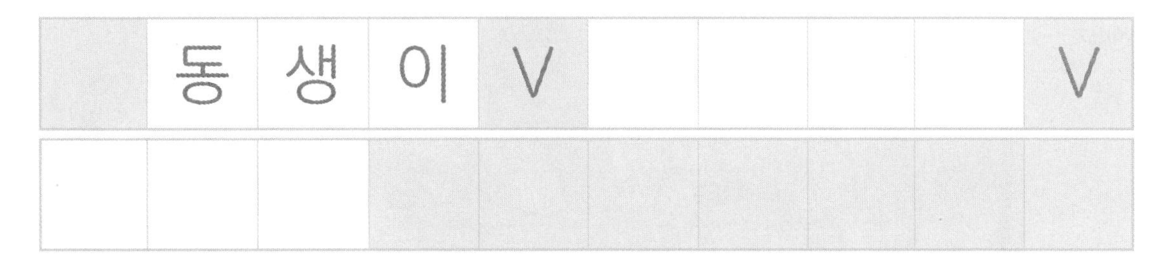

(2) 뿜는다. 고래가 물을

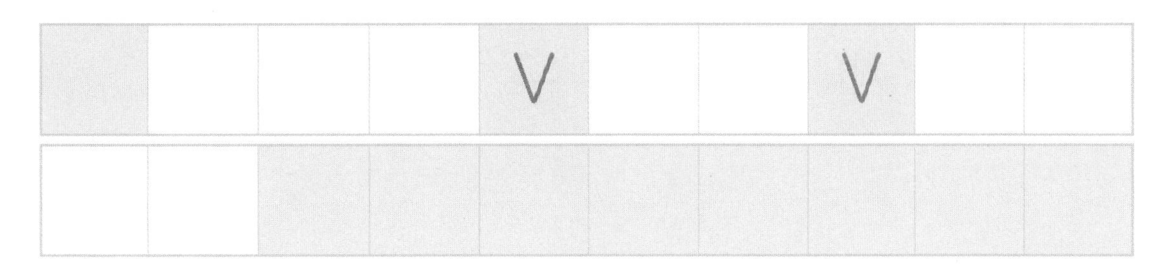

받아쓰기 듣기

▶정답 및 해설 3쪽

1 따라 쓰기

잘 듣고, 따라 쓰세요.

❶ 숲이 V 울창하다.

❷ 아빠께서 V 바쁘시다.

2 낱말 받아쓰기

잘 듣고, 빈칸에 알맞은 낱말을 받아쓰세요.

❶ 동생이 [ ] 를 쏟았다.

❷ 친구가 꽃을 [ ] .

3 문장 받아쓰기

잘 듣고, 그림에 알맞은 문장을 받아쓰세요.

새 V 친구가 V [ ] V

똑똑한 하루 글쓰기 마무리

내 생각 쓰기로 하루 마무리

▶ 정답 및 해설 3쪽

● 다음 그림을 보고, 친구가 쓴 문장 처럼 알맞은 순서로 문장을 각각 쓰세요.

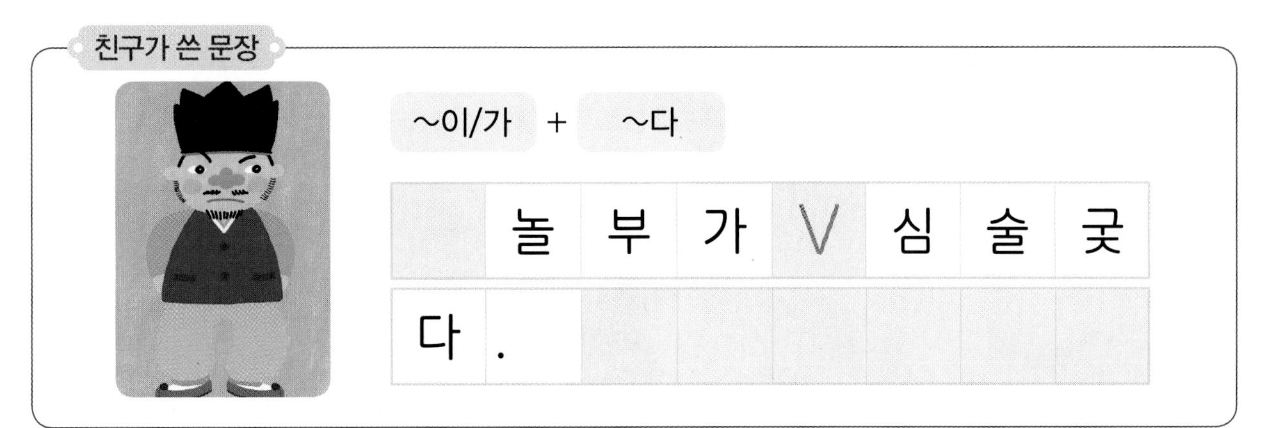

❶ 

~이/가 + ~다

별이

❷ 

~이/가 + ~을/를 + ~다

❸ 

~이/가 + ~을/를 + ~다

그림을 잘 보고, '~이/가 + ~다' 또는 '~이/가 + ~을/를 + ~다'의 순서로 문장을 써 보세요.

3일 흉내 내는 말을 넣어 문장 쓰기

흉내 내는 말을 넣어 문장을 써라!

흉내 내는 말은 사람이나 사물의 소리나 모양을 나타내는 말이에요.
흉내 내는 말을 넣어 문장을 쓰면 더 자세하게 쓸 수 있고
느낌을 생생하게 표현할 수 있으며 더 실감이 난답니다.

▶정답 및 해설 4쪽

- 흉내 내는 말에 대한 설명에 맞게 빈칸에 알맞은 말을 쓰고, 퍼즐판에서 찾아 ◯표를 하세요.

소리나 모양을 나타내는 말을 ❶ 흉 내 내는 말이라고 해요.

흉내 내는 말을 넣어 문장을 쓰면 ❷ ☐☐을 생생하게 표현할 수 있어요.

교	곶	쌀	느
실	감	눈	낌
수	건	치	땀
염	소	흉	내

흉내 내는 말을 넣어 문장을 쓰면 더 ❸ ☐☐이 나요.

1주

3일 흉내 내는 말을 넣어 문장 쓰기

◉ 다음 이야기를 읽고, 흉내 내는 말을 넣어 문장을 쓰세요.

두더지의 신랑감

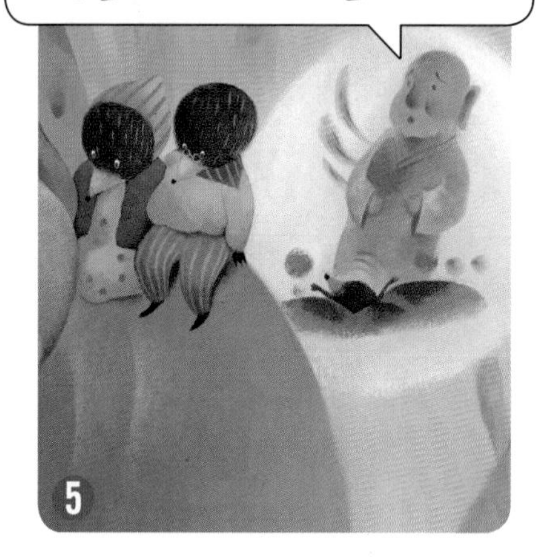

어휘 풀이

▾ **사위** 딸의 남편을 이르는 말. ⓔ 우리 아빠께서는 나보다 사위를 더 챙기신다.

▾ **꼼짝** 몸을 둔하고 느리게 조금 움직이는 모양. ⓔ 집에서 꼼짝 말고 기다려!

▾ **이리저리** 말이나 행동을 뚜렷하게 정함이 없이 이러하고 저러하게 되는대로 하는 모양.
ⓔ 이리저리 생각해 봐도 좋은 해결 방법이 떠오르지 않았다.

▶정답 및 해설 4쪽

낱말 쓰기

1 단계 빈칸에 알맞은 흉내 내는 말을 보기 에서 각각 골라 쓰세요.

보기

쫄쫄 / 쌩쌩 / 쨍쨍 / 꽝꽝

(1) 햇볕을 ☐☐ 내리쬐는 해님이 가장 힘이 센 것 같아요.

(2) ☐☐ 바람이 불면 내 몸은 여기저기 흩어져 버려요.

문장 쓰기

2 단계 밑줄 그은 말 대신 쓸 수 있는 흉내 내는 말을 보기 에서 각각 골라 문장을 다시 쓰세요.

보기

올망졸망 / 옴짝달싹 / 요리조리

(1) 나는 구름 앞에서 꼼짝 못 해요.

	나	는	V	구	름	V	앞	에	서
				V		V			

V

(2) 두더지 부부는 이리저리 따져 보았어요.

	두	더	지	V	부	부	는	V	
			V			V			

▶ 정답 및 해설 4쪽

1 따라 쓰기

잘 듣고, 따라 쓰세요.

❶

	오	리	가	V	꽥	꽥			

❷

	암	탉	이	V	꼬	꼬	댁		

2 낱말 받아쓰기

잘 듣고, 빈칸에 알맞은 낱말을 받아쓰세요.

❶ 아기가 [ ][ ] 주저앉았다.

❷ 눈물이 [ ][ ][ ][ ] 맺혔다.

3 문장 받아쓰기

잘 듣고, 그림에 알맞은 문장을 받아쓰세요.

	자	전	거	를	V	타	고	V	
	V				V				

똑똑한
하루 글쓰기 마무리

내 생각 쓰기로 하루 마무리

▶정답 및 해설 4쪽

다음 그림을 보고, 친구가 쓴 문장 처럼 알맞은 흉내 내는 말을 보기 에서 각각 골라 문장을 쓰세요.

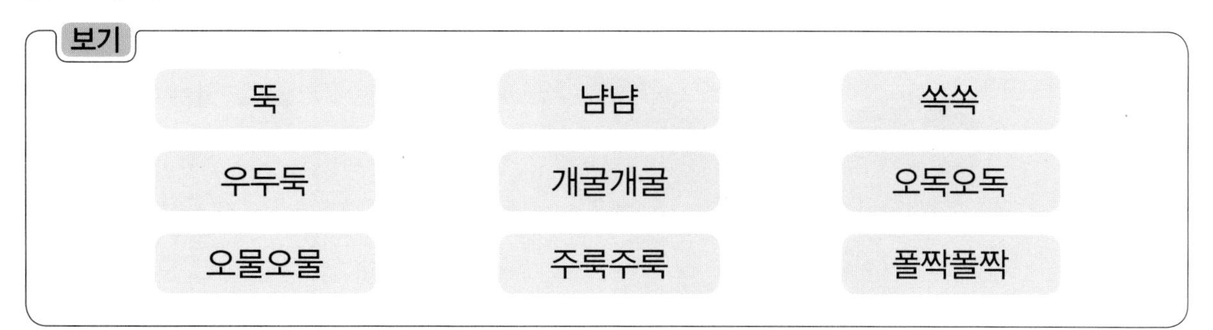

보기

뚝	냠냠	쏙쏙
우두둑	개굴개굴	오독오독
오물오물	주룩주룩	폴짝폴짝

친구가 쓴 문장

	나	뭇	가	지	가	V	우
두	둑	V	부	러	졌	다	.

❶

❷

힌트 흉내 내는 말을 넣어 그림과 어울리는 문장을 썼으면 모두 답이 될 수 있어요.

1주

꾸며 주는 말을 넣어 문장 쓰기

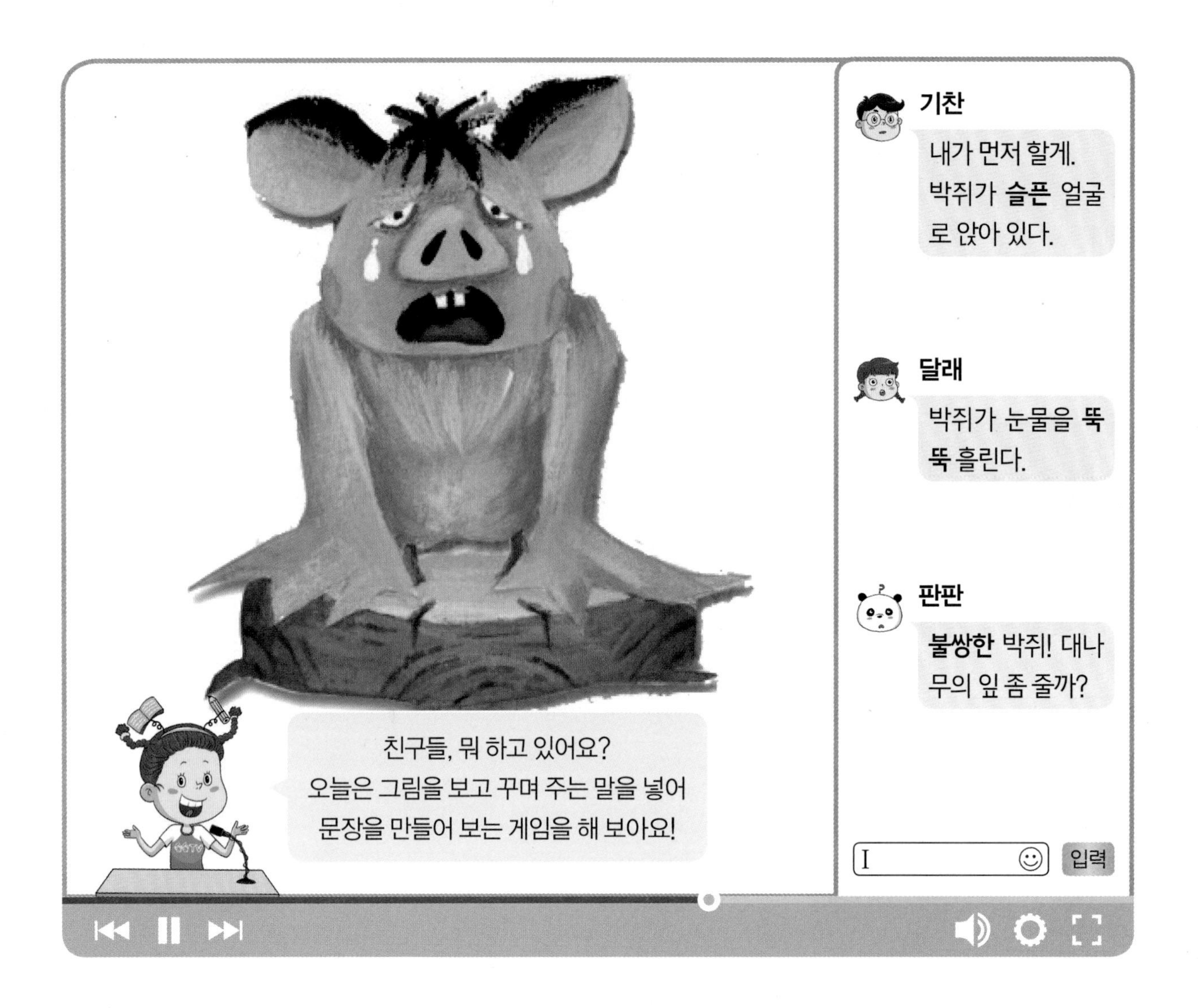

꾸며 주는 말을 넣어 문장을 써라!

'비가 주룩주룩 내려 빨간 장화를 신었다.'에서 '빨간'과 같이 뒤에 오는 말을 꾸며 주어 그 뜻을 자세하게 해 주는 말을 꾸며 주는 말이라고 해요.
또 '주룩주룩'과 같이 흉내 내는 말도 꾸며 주는 말이 될 수 있어요.

▶정답 및 해설 5쪽

1 주

● 그림에 맞는 퍼즐 모양을 찾아 ◯표를 하고, 꾸며 주는 말이 무엇인지 알아보아요.

뜻이
반대인
말

꾸며 주는 말을 찾으며 문장을 따라 쓰세요.

	들	짐	승	과	V	날	짐	승	V
사	이	에	V	무	서	운	V	싸	움
이	V	벌	어	졌	어	요	.		

꾸며 주는 말을 넣어 문장 쓰기

● 다음 이야기를 읽고, 꾸며 주는 말을 넣어 문장을 쓰세요.

비겁한 박쥐

두 편을 왔다 갔다 했던 박쥐는 결국 따돌림을 당했어요. 그래서 동굴 속에 숨어 살며 밤에만 나와 돌아다니게 됐지요.

어휘 풀이

▾ **들짐승** 들에 사는 동물. 예 들짐승이 나타날 수 있으니 밤길을 조심해야 한다.

▾ **날짐승** 날아다니는 새 종류의 동물. 예 날짐승의 우두머리는 독수리이다.

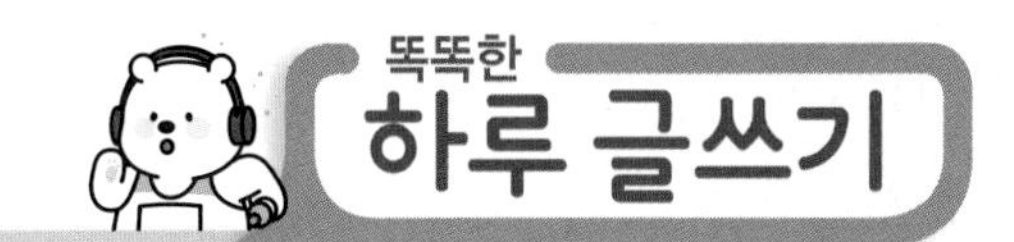

▶정답 및 해설 5쪽

낱말 쓰기

다음 그림을 보고, 빈칸에 알맞은 꾸며 주는 말을 보기 에서 각각 골라 쓰세요.

보기

착한 멋진 날카로운 지혜로운

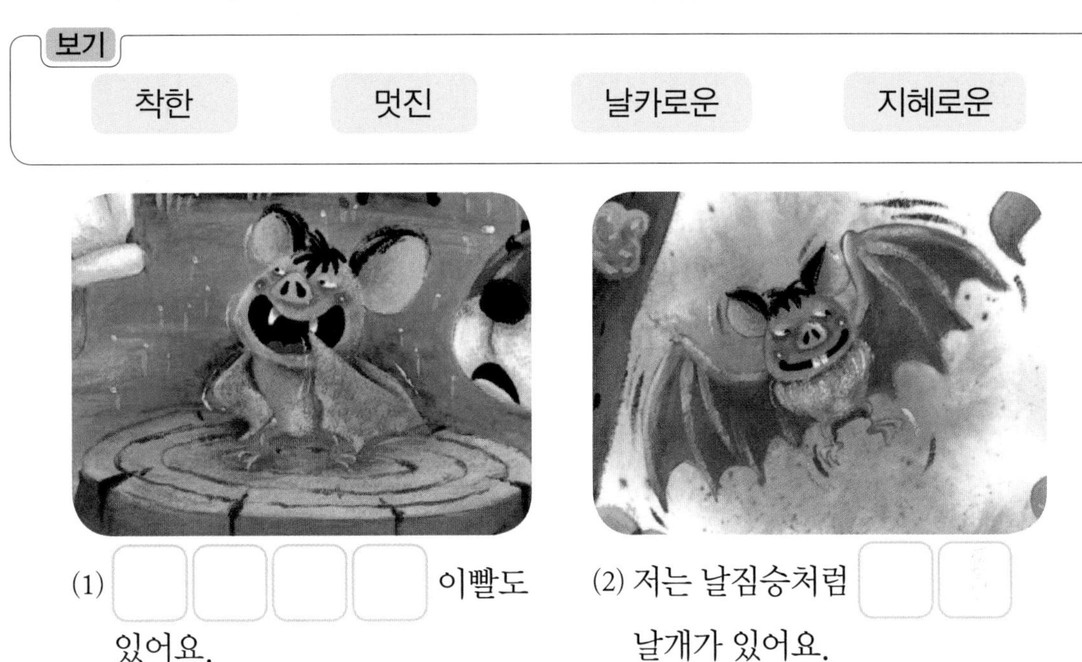

(1) ☐☐☐☐ 이빨도 있어요.

(2) 저는 날짐승처럼 ☐☐ 날개가 있어요.

문장 쓰기

밑줄 그은 말 앞에 들어갈 꾸며 주는 말을 보기 에서 각각 골라 문장을 다시 쓰세요.

보기

비겁한 어두운 캄캄한

(1) 두 편을 왔다 갔다 했던 박쥐는 결국 따돌림을 당했어요.

두 편을 왔다 갔다 했던

(2) 동굴 속에 숨어 살며 밤에만 나와 돌아다니게 됐지요.

▶정답 및 해설 5쪽

1 따라 쓰기

잘 듣고, 따라 쓰세요.

❶ 힘이 V 더 V 세!

❷ 젖을 V 먹여 V 키워요.

2 낱말 받아쓰기

잘 듣고, 빈칸에 알맞은 낱말을 받아쓰세요.

❶ [ ][ ][ ] 떡볶이를 먹었다.

❷ [ ][ ][ ][ ] 물놀이를 했다.

3 문장 받아쓰기

잘 듣고, 그림에 알맞은 문장을 받아쓰세요.

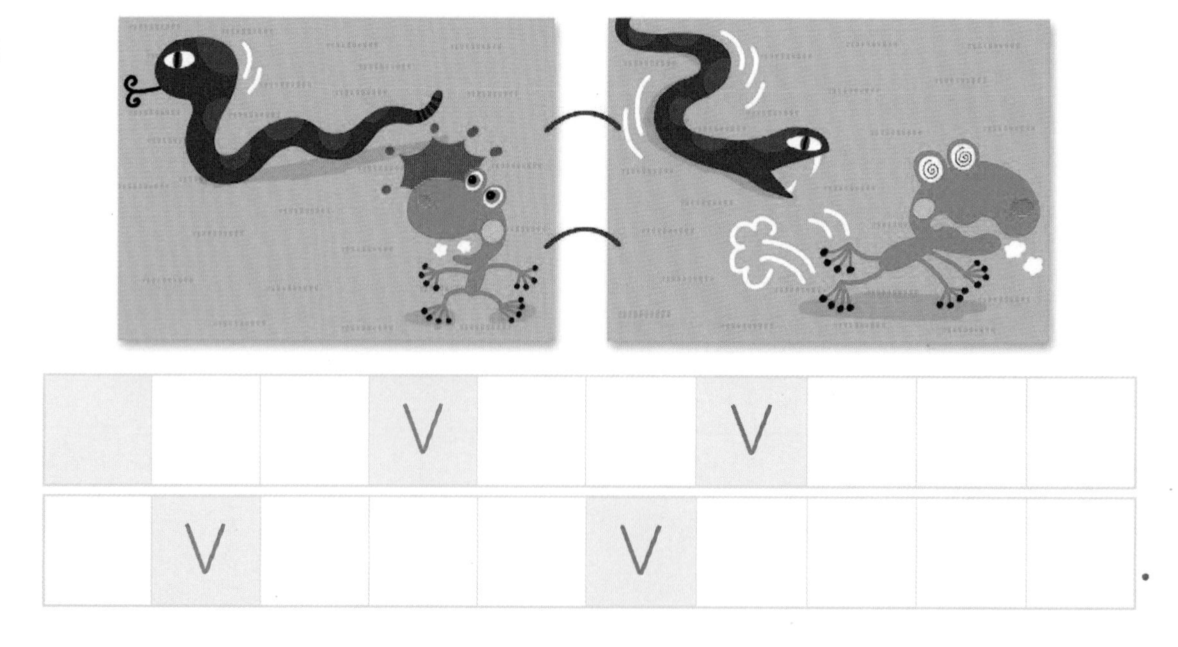

▶정답 및 해설 5쪽

● 다음 그림을 보고, 알맞은 꾸며 주는 말을 보기 에서 각각 골라 문장을 쓰세요.

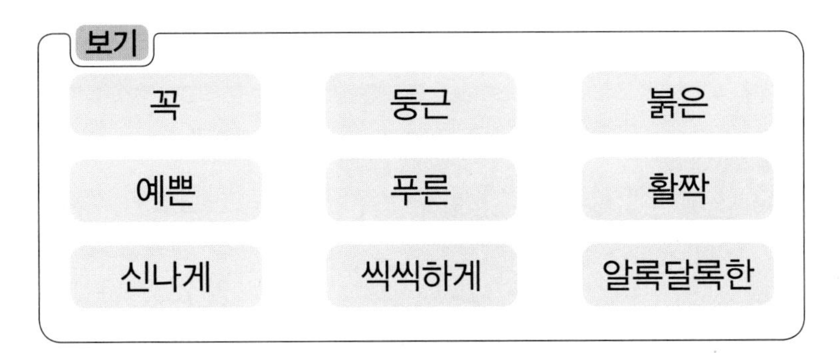

보기

꼭	둥근	붉은
예쁜	푸른	활짝
신나게	씩씩하게	알록달록한

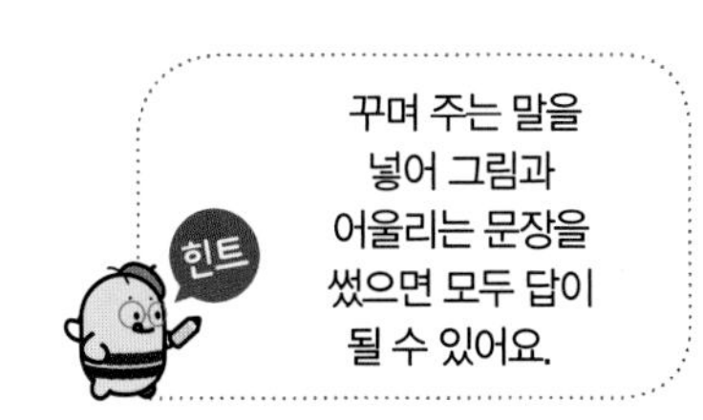

❶ (　　　　) 해가 떴다.

❷ (　　　　) 나무들과 (　　　　) 꽃들을 보았다.

❸ 나는 누나와

5일 생각이나 느낌을 나타내는 문장 쓰기

생각이나 느낌을 나타내는 문장을 써라!

생각이나 느낌을 나타내는 문장을 쓸 때에는
먼저 어떤 일이 일어났는지 살펴보아요.
그런 다음 어떤 생각이나 느낌이 들었는지 떠올리고
자신의 생각이나 느낌을 문장으로 표현하면 된답니다.

▶정답 및 해설 6쪽

● 사다리 타기를 하여 도착한 곳의 낱말을 따라 쓰며, 생각이나 느낌을 나타내는 문장을 쓰는 방법을 알아보아요.

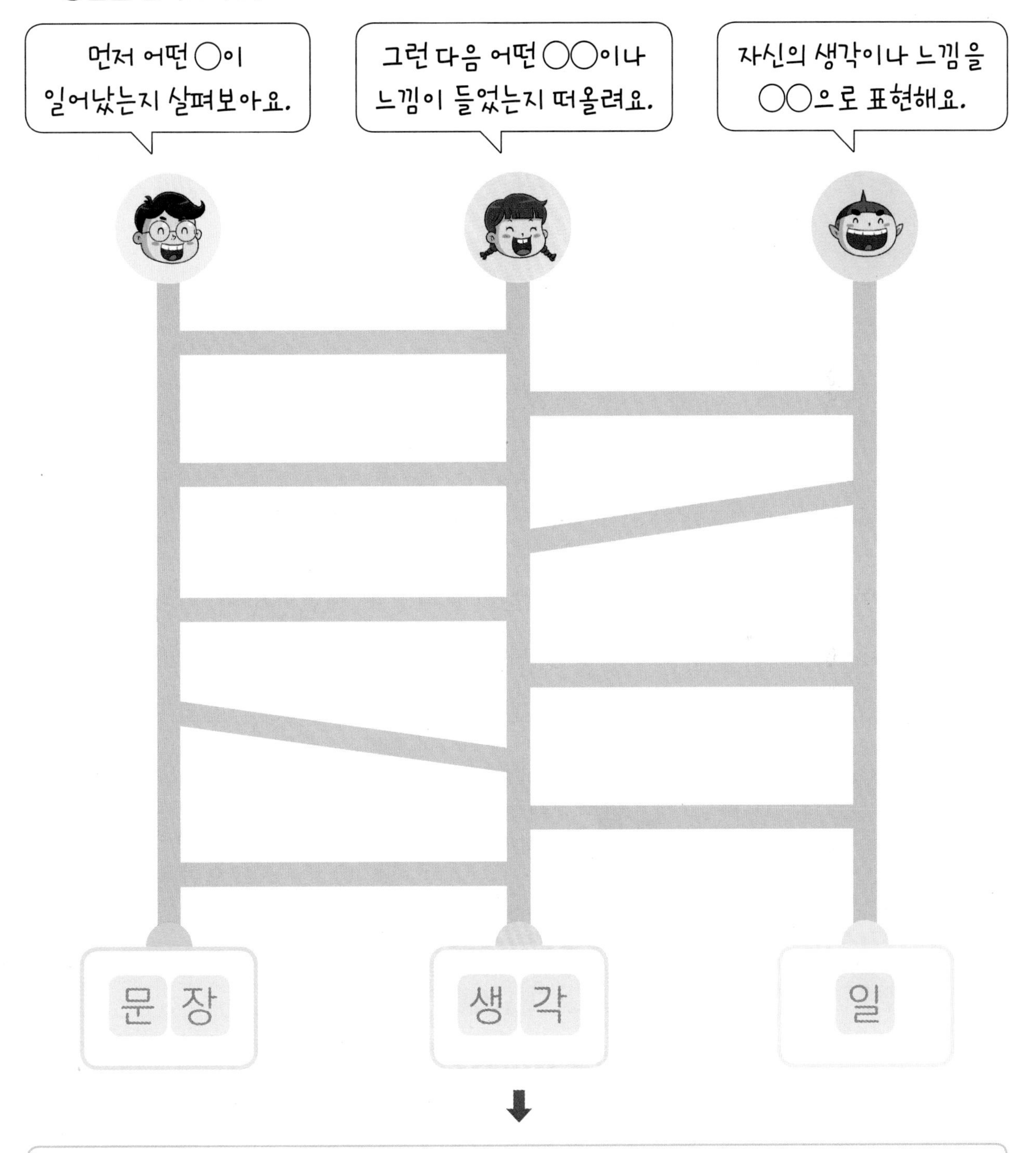

일어난 일 친구가 쓰레기를 운동장에 버렸다.

생각이나 느낌 친구가 쓰레기를 쓰레기통에 버렸으면 좋겠다.

생각이나 느낌을 나타내는 문장 쓰기

● 어떤 일이 일어났는지 살펴보고, 생각이나 느낌을 나타내는 문장을 쓰세요.

도서관에 간 채민이와 현솔이는 어떤 생각이나 느낌이 들었을까요?

다음과 같이 채민이에게 어떤 일이 일어났는지 살펴보고, 채민이가 어떤 생각이나 느낌을 떠올렸는지 정리해 보면 채민이의 생각이나 느낌을 나타내는 문장을 쓸 수 있어요.

문장으로 표현하기

읽은 책을 제자리에 꽂으면 좋겠다.

이번에는 현솔이의 생각이나 느낌을 나타내는 문장을 써 볼까요?

어휘 풀이

▼ **제자리** 처음에 있던 자리. ⓔ 장난감을 제자리에 갖다 두었다.

▼ **꽂혀** 쓰러지거나 빠지지 않게 박혀 세워지거나 끼워져. ⓔ 꽃병에는 장미꽃이 꽂혀 있었다.

▶ 정답 및 해설 6쪽

낱말 쓰기

다음 그림을 보고, 빈칸에 알맞은 낱말을 쓰세요.

문장으로 표현하기

→ ㄷ ㅅ ㄱ 에서는 떠들면 안 된다.

문장 쓰기

다음 그림을 보고, 기준이의 생각이나 느낌을 나타내는 문장을 보기 에서 한 가지 골라 쓰세요.

보기

- 시험에서 백 점을 받고 싶다.
- 몸은 피곤해도 마음은 뿌듯하다.
- 이 세상에 시험이 없으면 좋겠다.

일어난 일 밤늦게까지 시험공부를 했다.

생각이나 느낌

▶정답 및 해설 6쪽

1 따라 쓰기

잘 듣고, 따라 쓰세요.

❶ 엄마, 죄송해요.

❷ 독도에 V 가고 V 싶다.

2 낱말 받아쓰기

잘 듣고, 빈칸에 알맞은 낱말을 받아쓰세요.

❶ 지우개를 빌려주어서 ☐☐☐.

❷ 반 친구들이 ☐☐☐☐ 지내면 좋겠다.

3 문장 받아쓰기

잘 듣고, 그림에 알맞은 문장을 받아쓰세요.

			V					V	
	V			V					

▶정답 및 해설 6쪽

◉ 다음 그림과 일어난 일을 보고, 친구가 쓴 문장 처럼 생각이나 느낌을 나타내는 문장을 쓰세요.

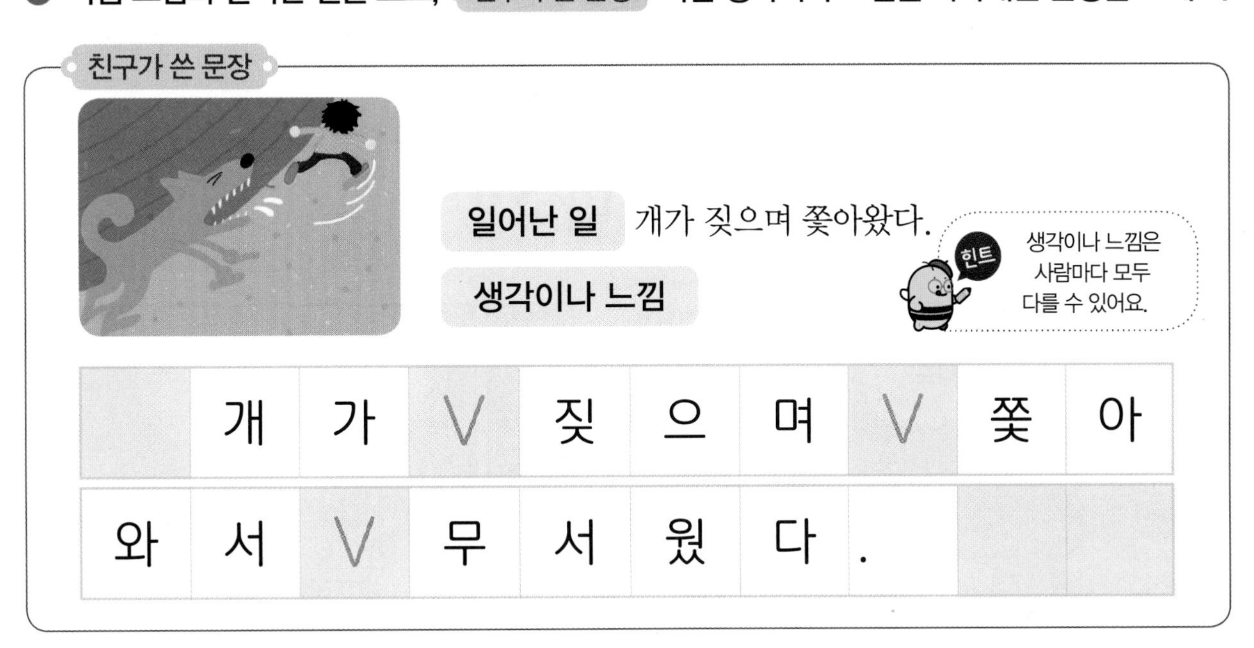

친구가 쓴 문장

일어난 일 개가 짖으며 쫓아왔다.

생각이나 느낌

힌트 생각이나 느낌은 사람마다 모두 다를 수 있어요.

	개	가	V	짖	으	며	V	쫓	아
와	서	V	무	서	웠	다	.		

❶

일어난 일 친구가 꽃을 꺾었다.

생각이나 느낌

❷

일어난 일 날씨가 너무 더워 땀이 났다.

생각이나 느낌

1주 특강

생활 어휘 다음 만화를 보며 '손이 크다'라는 표현의 뜻을 알아보고, 상황에 맞게 써 보세요.

손이 크다고?

▶정답 및 해설 6쪽

내 냉장고에 있는
음식을 네 것인
것처럼 베풀고
다니니까 좋더냐!
으아, 미안! 다음에
채워 놓을게!

표현의 뜻을 알아봐요!
손이 크다
이 말은 "씀씀이가 후하고 크다."라는 뜻으로
쓰이는 표현이랍니다.
이제 이 표현을 넣어 상황에 맞게 써 볼까요?
간식 먹을래?
우리 언니는 손 이 크 다.
그래서 간식도 넉넉하게 나누어 준다.

● 흉내 내는 말이 알맞게 쓰인 문장을 찾아 집까지 가는 길을 선으로 이어 보세요.

창의 **흉내 내는 말**을 넣어 문장을 쓰는 방법을 떠올리며 미로를 통과해 봅니다.

▶정답 및 해설 7쪽

● 이야기 「두더지의 신랑감」에 나오는 두더지는 지렁이를 먹고 살아요. 두더지가 집까지 가는 동안 몇 마리의 지렁이를 잡았는지 숫자로 쓰세요.

두더지가 집까지 가는 동안 잡은 지렁이는 모두 [ ] 마리예요.

융합 국어+수학 이야기 「두더지의 신랑감」에 나오는 **두더지의 먹이**를 알아보며 **한 자릿수 덧셈**을 해 봅니다.

◎ 이야기 「비겁한 박쥐」에 나오는 박쥐는 새일까요, 새가 아닐까요? 다음 물음에 답해 보며 박쥐가 새인지, 새가 아닌지 알맞은 말에 ○표를 하세요.

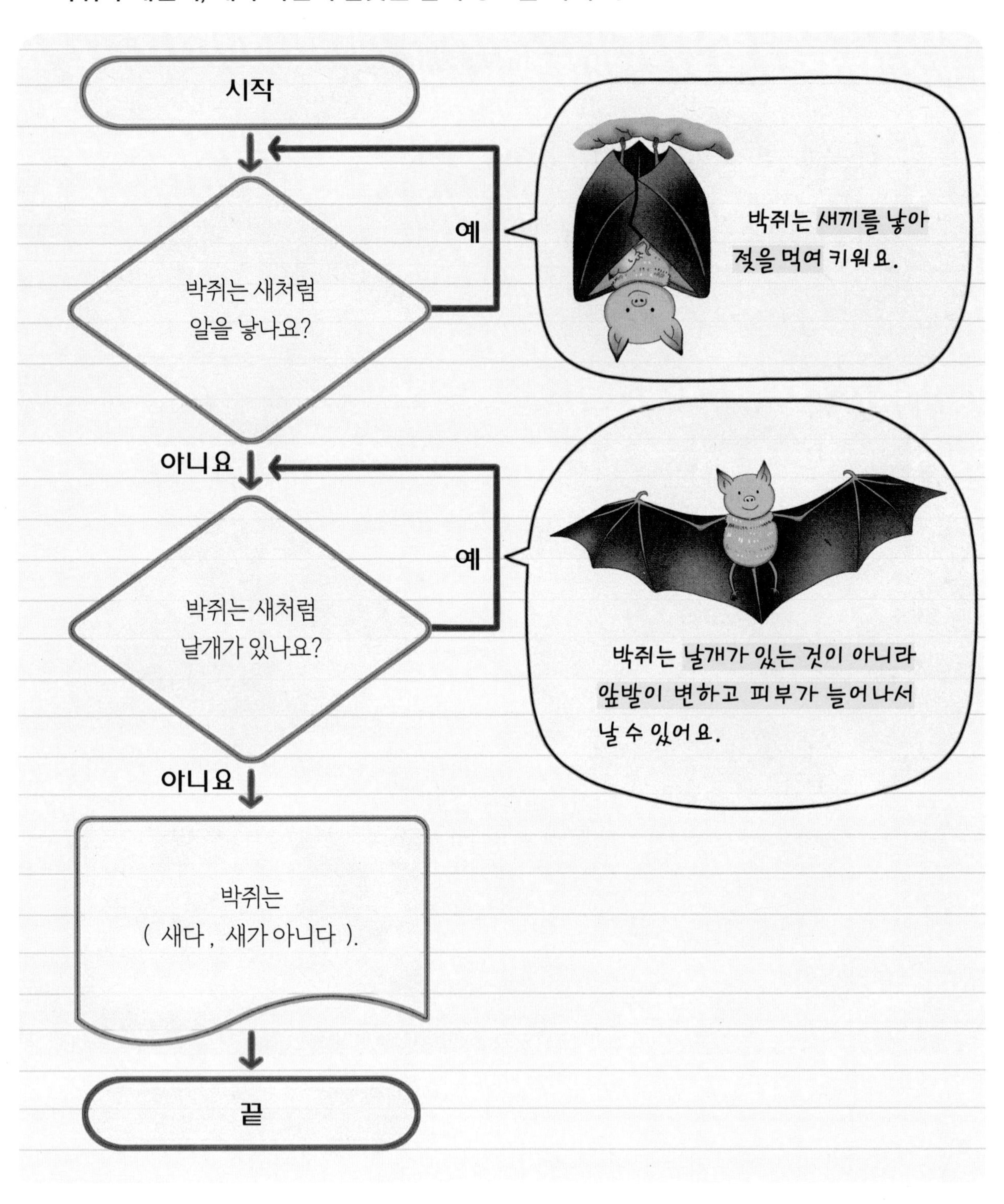

코딩 **순서도**를 따라가 보며 **박쥐가 새인지, 새가 아닌지** 알아봅니다.

▶정답 및 해설 7쪽

● 꾸며 주는 말에 알맞게 그림 세 곳을 색칠하여 그림을 완성하세요.

융합 국어+미술

꾸며 주는 말을 넣어 문장을 쓰는 방법을 떠올리며 꾸며 주는 말에 알맞게 **그림을 색칠**해 봅니다.

1주 누구나 100점 테스트

1 다음 그림을 보고, 알맞게 쓴 문장을 골라 ○표를 하세요.

(1) 친구가 시소를 타요. ( )

(2) 친구가 미끄럼틀을 타요. ( )

2 다음과 같은 순서로 쓴 문장을 골라 각각 선으로 이으세요.

(1) ~이/가 + ~다 • • ① 하늘이 파랗다.

(2) ~이/가 +~을/를 + ~다 • • ② 누나가 피아노를 친다.

글쓰기

3 다음 말을 모두 넣어 '~이/가 + ~을/를 + ~다'의 순서에 맞는 문장을 쓰세요.

분다. 동생이 풍선을

4 흉내 내는 말이 쓰인 문장을 골라 ○표를 하세요.

(1) 

두더지 부부: 해님을 찾아가서 사위로 삼아야겠어. ( )

(2) 

해님: 나는 구름 앞에서 꼼짝 못 해요. ( )

글쓰기

5 다음 문장에 알맞은 흉내 내는 말을 **보기** 에서 골라 빈칸에 쓰세요.

보기
그렁그렁 오물오물 주룩주룩

비가 □□□□ 내렸다.

▶정답 및 해설 8쪽

6 꾸며 주는 말에 대한 설명으로 알맞은 것을 골라 ○표를 하세요.

(1) 뒤에 오는 말을 꾸며 주어 그 뜻을 자세하게 해 주는 말이다. ( )

(2) 흉내 내는 말은 꾸며 주는 말이 될 수 없다. ( )

7 다음 문장에서 밑줄 그은 꾸며 주는 말이 잘못 쓰인 문장을 골라 ×표를 하세요.

(1) 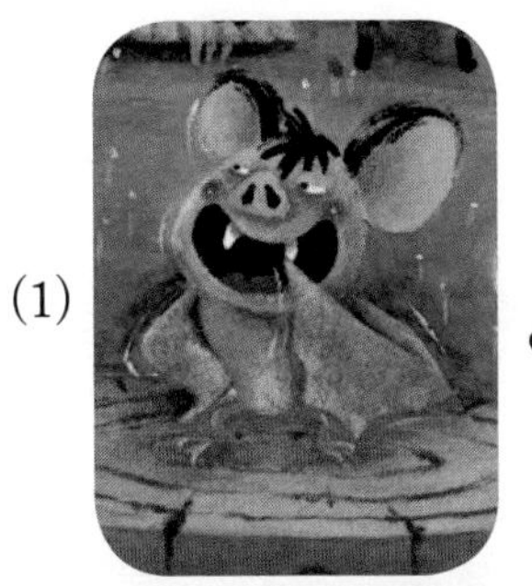

날카로운 이빨도 있어요. ( )

(2) 

두 편을 왔다 갔다 했던 비겁한 박쥐는 결국 따돌림을 당했어요. ( )

(3) 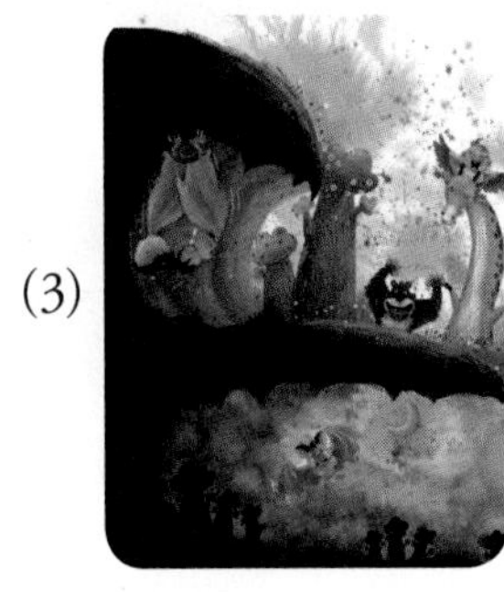

어두운 동굴 속에 숨어 살며 넓은 밤에만 나와 돌아다니게 됐지요. ( )

글쓰기

8 다음 문장에 알맞은 흉내 내는 말을 보기 에서 골라 문장을 완성하고 따라 쓰세요.

보기

쌩쌩 / 쾅쾅 / 활짝

	꽃	이	V			V
피	었	다	.			

글쓰기

9 다음 그림을 보고, 빈칸에 알맞은 낱말을 보기 에서 골라 생각이나 느낌을 나타내는 문장을 완성하세요.

보기

꽃 / 말 / 책

읽은 ☐ 을 제자리에 꽂으면 좋겠다.

10 다음은 받아쓰기를 한 문장입니다. 밑줄 그은 부분을 바르게 고쳐 쓴 것을 골라 ○표를 하세요.

반 친구들이 사이조케 지내면 좋겠다.

(사이좋게 , 사이좋케)

2주 이번 주에는 무엇을 공부할까? ❶

헷갈리기 쉬운 낱말을 바르게 써 보자!

- 1일 다치다/닫히다, 반드시/반듯이
- 2일 거름/걸음, 시키다/식히다
- 3일 가치/같이, 마치다/맞히다
- 4일 느리다/늘이다, 이따가/있다가
- 5일 깁다/깊다 , 다리다/달이다

2주 이번 주에는 무엇을 공부할까? ❷

1-1 다음 낱말의 뜻으로 알맞은 것을 골라 ○표를 하세요.

다치다

(1) 부딪치거나 맞거나 하여 신체에 상처가 생기다. (　　)

(2) 열린 문짝, 뚜껑, 서랍 따위가 도로 제자리로 가 막히다. (　　)

1-2 다음 문장의 빈칸에 들어갈 낱말로 알맞은 것을 골라 따라 쓰세요.

다	치	다
닫	히	다

넘어져서 다리를 ☐☐☐.

▶정답 및 해설 9쪽

2-1 다음 낱말의 뜻으로 알맞은 것을 각각 선으로 이으세요.

(1) 가치 • • ① 둘 이상의 사람이나 사물이 함께.

(2) 같이 • • ② 사물이 지니고 있는 쓸모.

2-2 다음 빈칸에 알맞은 낱말을 보기 에서 각각 골라 쓰세요.

보기

가치 같이

(1) 금은 ☐☐ 가 높다.

(2) 우리 ☐☐ 축구 하자.

1일 다치다/닫히다, 반드시/반듯이

'다치다/닫히다', '반드시/반듯이'를 구분해 문장을 써라!

다치다	부딪치거나 맞거나 하여 신체에 상처가 생기다.
닫히다	열린 문짝, 뚜껑, 서랍 따위가 도로 제자리로 가 막히다.
반드시	틀림없이 꼭.
반듯이	작은 물체, 생각이나 행동 따위가 비뚤어지거나 기울거나 굽지 않고 바르게.

※ '다치다'와 '닫히다'는 [다치다]로, '반드시'와 '반듯이'는 [반드시]로 비슷하게 소리 나기 때문에 헷갈리기 쉬운 낱말입니다.

▶정답 및 해설 9쪽

◉ 다음 낱말에 알맞은 뜻을 선으로 각각 잇고, 각 낱말을 사용한 문장을 읽어 보세요.

낱말

다치다 · 닫히다 · 반드시

뜻

틀림없이 꼭.

열린 문짝, 뚜껑, 서랍 따위가 도로 제자리로 가 막히다.

부딪치거나 맞거나 하여 신체에 상처가 생기다.

문장

반드시 음식을 익혀서 먹어야 한다.

병뚜껑이 꼭 닫히다.

자전거를 타다가 넘어져서 다치다.

다치다/닫히다, 반드시/반듯이

● 다음 대화를 읽고, 알맞은 낱말을 사용해 문장을 쓰세요.

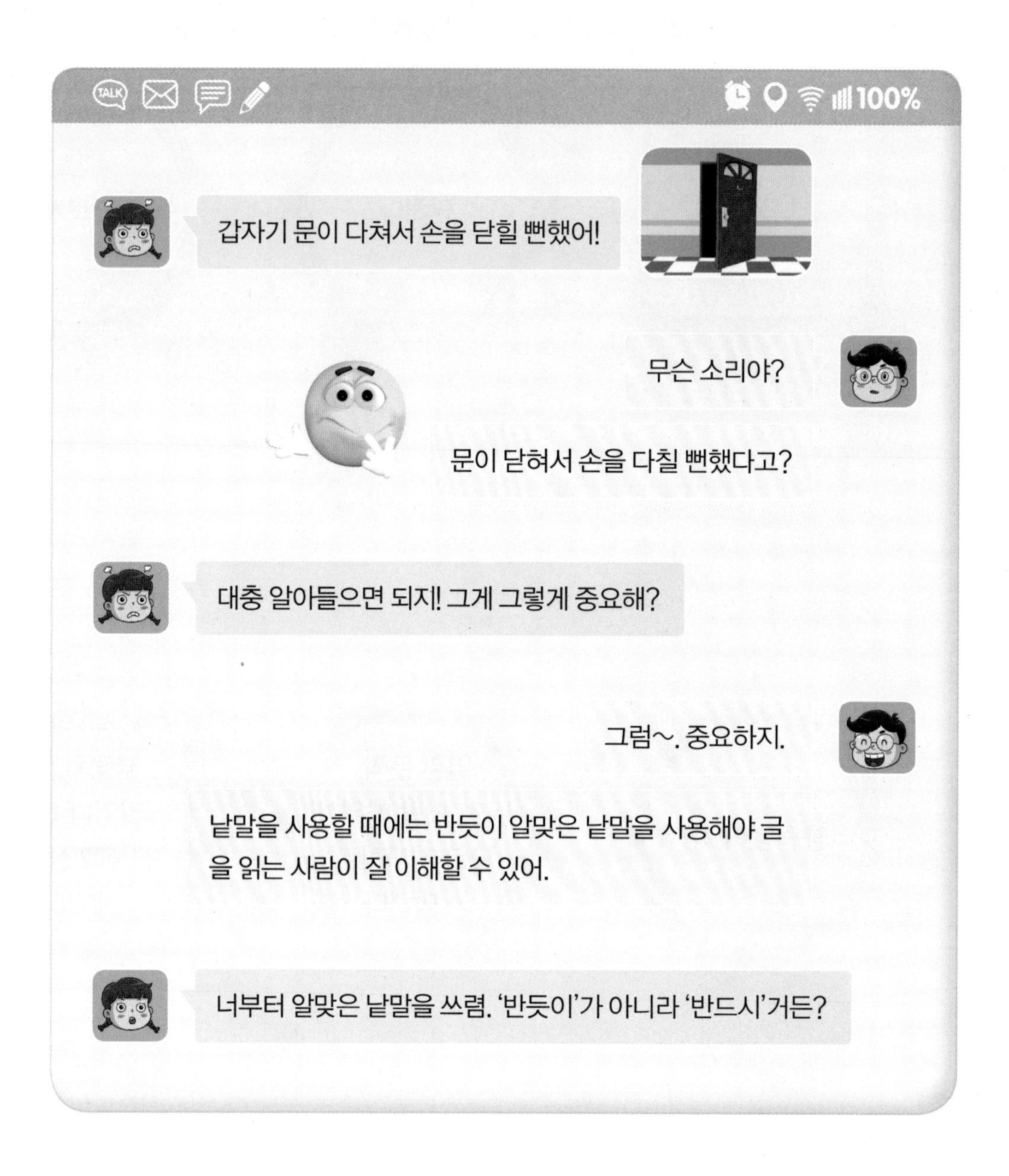

헷갈리기 쉬운 낱말을 바르게 써야 하는 까닭

- 서로 무슨 말을 하는지 분명히 알 수 있습니다.
- 글을 읽을 때 문장의 뜻을 정확하게 알 수 있습니다.
- 글을 쓸 때에도 전달하고자 하는 내용을 잘 전달할 수 있습니다.

▶정답 및 해설 9쪽

낱말 쓰기

1단계 다음 그림을 보고, 빈칸에 알맞은 낱말을 보기 에서 각각 골라 쓰세요.

문장 쓰기

2단계 보기 의 말을 차례에 맞게 모두 사용하여 그림에 어울리는 문장을 완성해 쓰세요.

2주

▶ 정답 및 해설 9쪽

1 따라 쓰기

잘 듣고, 따라 쓰세요.

❶ 자동문이 V 닫히다.

❷ 책을 V 반듯이 V 꽂다.

2 낱말 받아쓰기

잘 듣고, 빈칸에 알맞은 낱말을 받아쓰세요.

❶ 할머니께서 ☐☐☐ 누워 계셨다.

❷ 돌을 밟고 넘어져서 ☐☐☐.

3 문장 받아쓰기

잘 듣고, 그림에 알맞은 문장을 받아쓰세요.

약속은 V ☐☐☐ V ☐ ☐☐ V ☐☐☐

▶정답 및 해설 9쪽

친구가 쓴 문장 처럼 다음 낱말을 넣어 그림에 어울리는 문장을 각각 만들어 쓰세요.

친구가 쓴 문장

반드시

	우	산	을	V	반	드	시
챙	겨	야	V	한	다	.	

❶

반듯이

	수	저	가	V	반	듯	이 V
놓	여	V	있	다	.		

❷

닫히다

	서	랍	이				

❸

다치다

힌트 '닫히다'와 '다치다'는 '닫혔다', '닫혀서'와 '다쳤다', '다쳐서' 등으로 바꾸어 써 보아도 좋아요.

2일 거름/걸음, 시키다/식히다

'거름/걸음', '시키다/식히다'를 구분해 문장을 써라!

거름	식물이 잘 자라도록 땅을 기름지게 하기 위하여 주는 물질.
걸음	두 발을 번갈아 옮겨 놓는 동작.
시키다	어떤 일이나 행동을 하게 하다.
식히다	더운 기를 없애다.

※ '거름'과 '걸음'은 [거름]으로, '시키다'와 '식히다'는 [시키다]로 비슷하게 소리 나기 때문에 헷갈리기 쉬운 낱말입니다.

▶정답 및 해설 10쪽

사다리 타기를 하여 도착한 곳의 낱말을 따라 쓰며, 낱말이 사용된 문장을 읽어 보세요.

시키다

예 성을 쌓도록 시키다.

거름

예 나무가 잘 자라라고 거름을 뿌리다.

식히다

예 뜨겁게 달아오른 철판을 식히다.

2일 거름/걸음, 시키다/식히다

◉ 다음 편지를 읽고, 알맞은 낱말을 사용해 문장을 쓰세요.

하윤이에게

안녕, 하윤아. 나 채원이야.

어제 내가 운동장을 빠른 거름으로 걷다 그만 넘어지고 말았어. 너무 아파서 울고 있는데 네가 나를 발견하고 괜찮냐고 물어봐 주었어.

그리고 우리 반에서 가장 힘이 센 연수에게 나를 보건실까지 부축하라고 식혔어. 덕분에 상처를 치료할 수 있었어. 나를 챙겨 준 너와 연수에게 정말 고마워. 나도 다음에 꼭 너를 도와줄게. 그럼 안녕.

20○○년 ○○월 ○○일

채원이가

어휘 풀이

▼**부축** 겨드랑이를 붙잡아 걷는 것을 도움. 예 다리가 부러진 친구를 부축해 주었다.

▼**치료**|다스릴 치 治, 병 고칠 료 療| 병이나 상처 따위를 잘 다스려 낫게 함.
예 그 병은 치료를 하면 꼭 나을 수 있을 것이다.

▶ 정답 및 해설 10쪽

낱말 쓰기

1 단계 다음 그림을 보고, 빈칸에 알맞은 낱말을 보기 에서 각각 골라 쓰세요.

보기: 시켰다 / 식혔다 / 거름 / 걸음

(1) 운동장을 빠른 [ ][ ] 으로 걷다 넘어졌다.

(2) 연수에게 채원이를 부축하라고 [ ][ ][ ].

문장 쓰기

2 단계 다음 그림을 보고, 알맞은 문장을 보기 에서 각각 골라 쓰세요.

보기
- 뜨거운 차를 후후 불어 시켰다.
- 뜨거운 차를 후후 불어 식혔다.

(1)

	뜨	거	운	V	차	를	V			V
		V								

보기
- 거름을 주면 농작물이 잘 자란다.
- 걸음을 주면 농작물이 잘 자란다.

(2)

				V	주	면	V	농	작
물	이	V		V					

받아쓰기 듣기

▶정답 및 해설 10쪽

1 따라 쓰기

잘 듣고, 따라 쓰세요.

❶

	느	긋	한	V	걸	음			

❷

	열	기	를	V	식	히	다	.	

2 낱말 받아쓰기

잘 듣고, 빈칸에 알맞은 낱말을 받아쓰세요.

❶ 꽃밭에 ☐☐ 을 뿌렸다.

❷ 언니가 집을 청소하라고 ☐☐☐ .

3 문장 받아쓰기

잘 듣고, 그림에 알맞은 문장을 받아쓰세요.

	뜨	거	운	V	물	을	V		
	V					V			

▶정답 및 해설 10쪽

● 친구가 쓴 문장 처럼 보기 의 두 가지 낱말을 모두 사용해 그림에 어울리는 문장을 완성해 쓰세요.

친구가 쓴 문장 처럼 보기 의 말을 모두 넣어 문장을 자연스럽게 썼으면 정답이 될 수 있어요.

3일 가치/같이, 마치다/맞히다

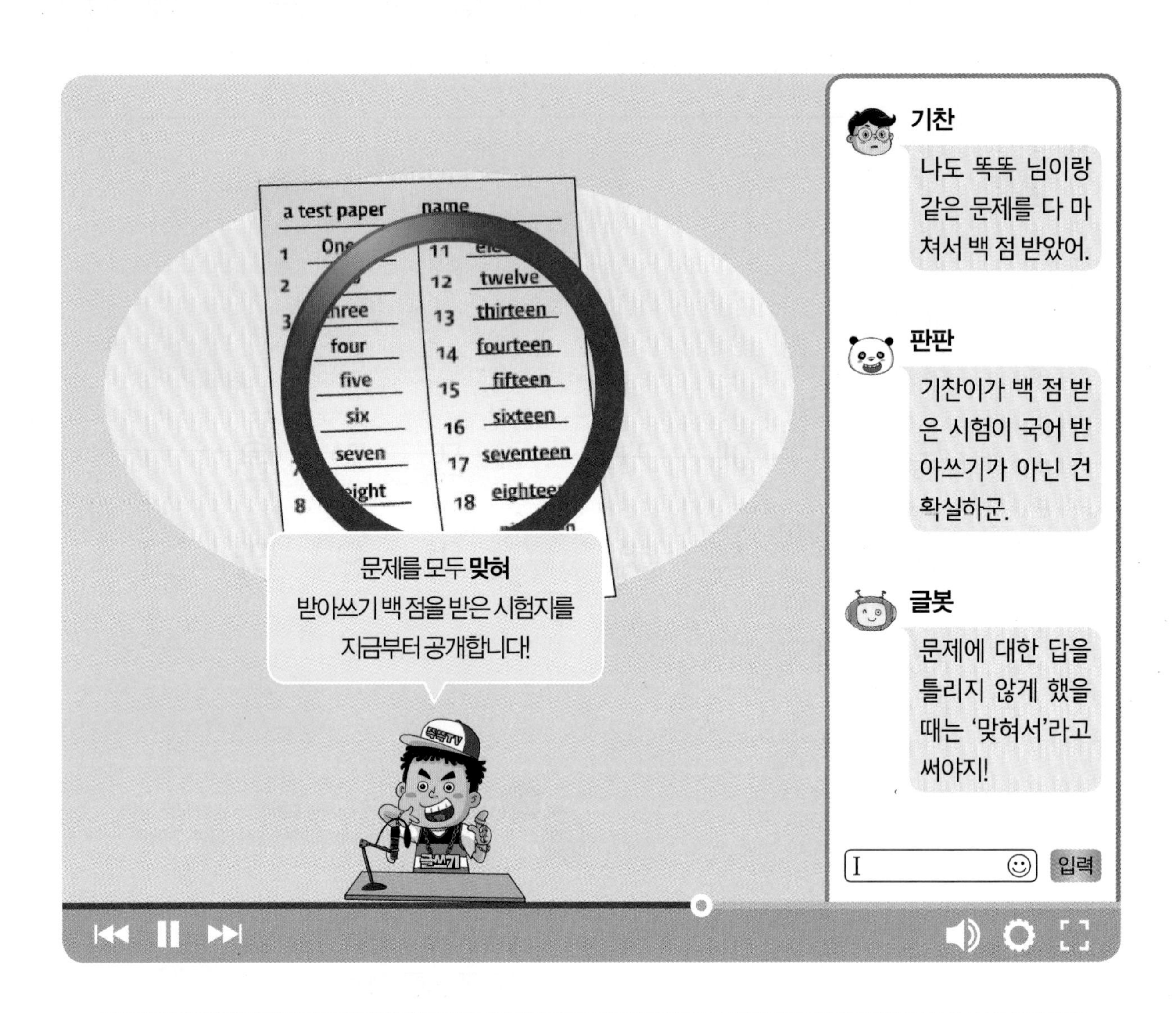

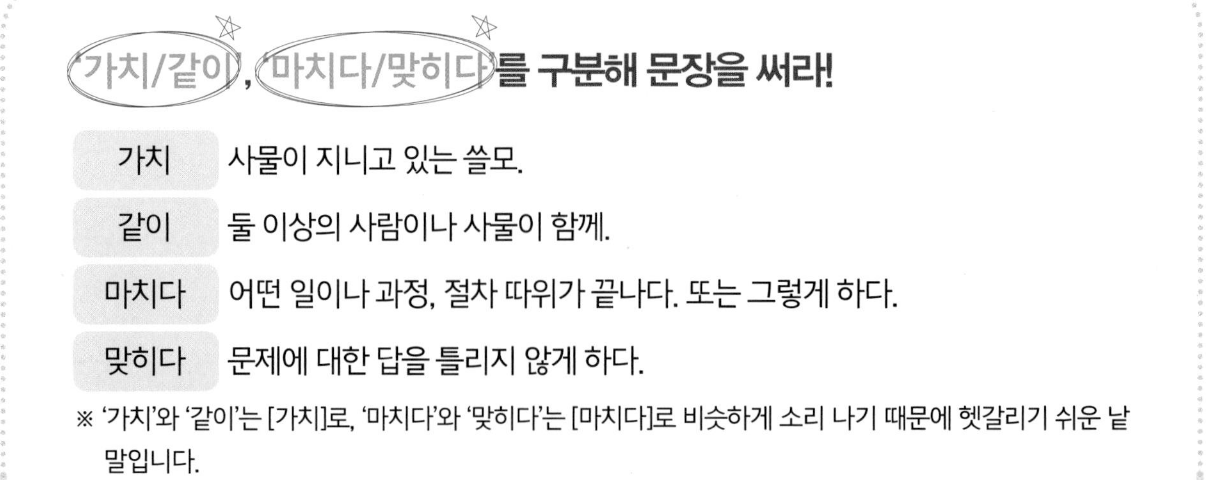

'가치/같이', '마치다/맞히다'를 구분해 문장을 써라!

가치	사물이 지니고 있는 쓸모.
같이	둘 이상의 사람이나 사물이 함께.
마치다	어떤 일이나 과정, 절차 따위가 끝나다. 또는 그렇게 하다.
맞히다	문제에 대한 답을 틀리지 않게 하다.

※ '가치'와 '같이'는 [가치]로, '마치다'와 '맞히다'는 [마치다]로 비슷하게 소리 나기 때문에 헷갈리기 쉬운 낱말입니다.

▶정답 및 해설 11쪽

각 낱말의 뜻에 맞게 빈칸에 알맞은 말을 따라 써 보세요.

- 가 치 : 사물이 지니고 있는 쓸모.
- 같 이 : 둘 이상의 사람이나 사물이 함께.
- 마 치 다 : 어떤 일이나 과정, 절차 따위가 끝나다. 또는 그렇게 하다.
- 맞 히 다 : 문제에 대한 답을 틀리지 않게 하다.

아래 그림에서 위의 낱말을 찾아 각각 색칠해 보세요.

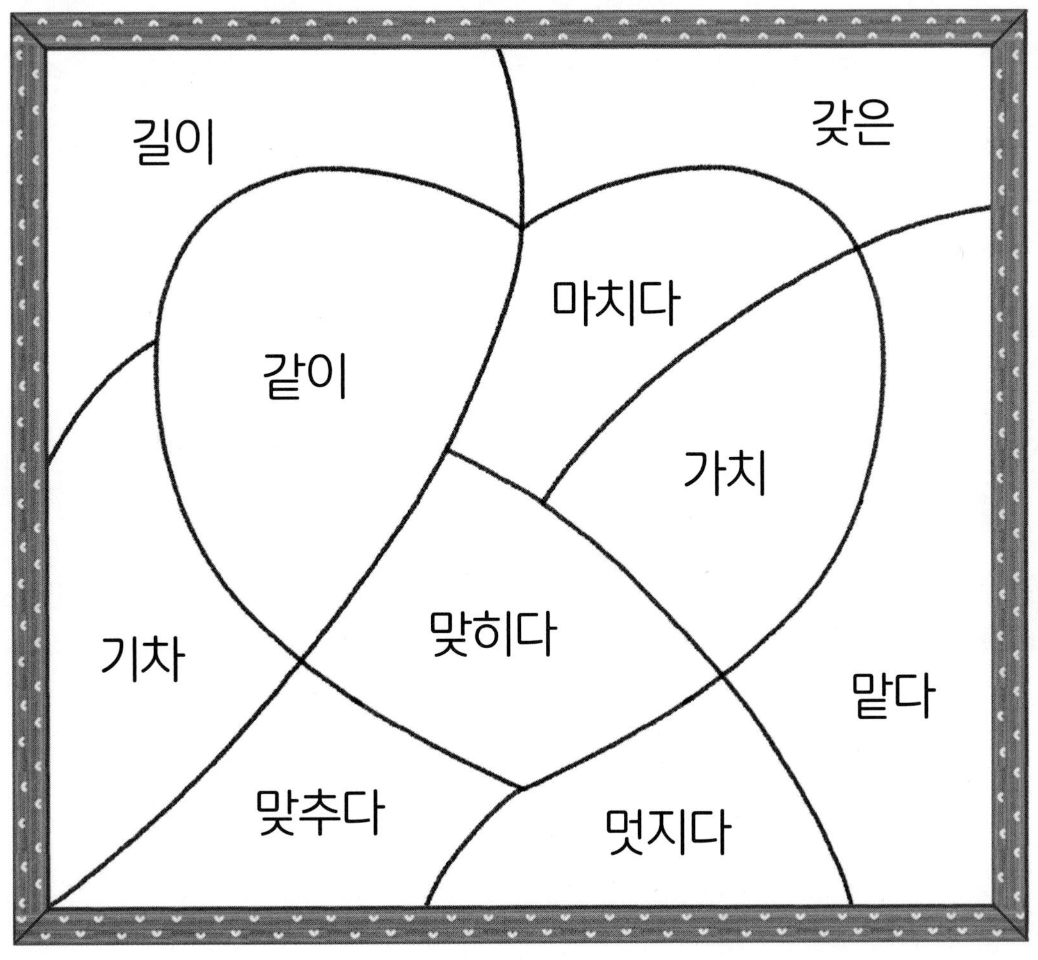

그림에서 오늘의 낱말이 없는 부분은
오늘 공부가 끝나고 쉬는 시간에 마음껏 색칠해요!

3일 가치/같이, 마치다/맞히다

● 다음 만화를 보고, 알맞은 낱말을 사용해 문장을 쓰세요.

어휘 풀이

▼**마침** 어떤 경우나 기회에 딱 맞게 우연히. ㉠ 마침 문제를 해결할 좋은 생각이 떠올랐다.

▼**퀴즈** 어떤 질문에 대한 답을 알아맞히는 놀이 또는 그 질문을 통틀어 이르는 말.
㉠ 어려운 퀴즈를 잘 맞히다.

▶ 정답 및 해설 11쪽

낱말 쓰기

1 단계 다음은 친구에게 쓴 쪽지입니다. 빈칸에 알맞은 낱말을 보기 에서 각각 골라 쓰세요.

보기

가치 | 같이 | 마치면 | 맞히면

우리 (1) ☐☐ 퀴즈 대회에 나가 보자. 문제를 (2) ☐☐☐ 상금도 탈 수 있대.

문장 쓰기

2 단계 다음 중 알맞은 말 두 가지를 골라 그림에 어울리는 문장을 완성해 쓰세요.

(1)

수업 마치고

수업 맞히고

교문 앞에서 만나자.

(2)

쓰레기통

가치 없는

같이 없는

물건을 버렸다.

▶정답 및 해설 11쪽

1 따라 쓰기

잘 듣고, 따라 쓰세요.

❶ 가 치 가 V 낮 다 .

❷ 시 합 을 V 마 쳤 다 .

2 낱말 받아쓰기

잘 듣고, 빈칸에 알맞은 낱말을 받아쓰세요.

❶ 서아와 [ ][ ] 인형 놀이를 했다.

❷ 암산 대회에 나가 정답을 [ ][ ][ ].

3 문장 받아쓰기

잘 듣고, 그림에 알맞은 문장을 받아쓰세요.

[ ][ ][ ] V [ ][ ][ ] V [ ][ ] V

[ ][ ][ ][ ]

▶정답 및 해설 11쪽

보기 에서 알맞은 말을 골라 이야기책에 들어갈 문장을 완성해 쓰세요.

보기

같이 놀고	마쳐 볼래	가치 시간을 보내고	마칠 수 있니
가치 놀고	맞혀 볼래	같이 시간을 보내고	맞힐 수 있니

어느 주말이었어요. 희철이는 형과

❶

싶었어요. 그래서 형에게

“형, 그 책은 무슨 내용이야?”

하고 물었어요.

그러자 형이 대답했어요.

“수학과 관련된 책이야. 이 문제들을

❷

?”

희철이는 형이 낸 문제의 답을 하나도 알 수 없었어요. 어려운 공부를 하는 형이 정말 대단해 보였지요.

힌트 앞뒤 내용, 그림과 어울리는 문장을 썼으면 답이 될 수 있어요.

4일 느리다/늘이다, 이따가/있다가

'느리다/늘이다', '이따가/있다가'를 구분해 문장을 써라!

느리다	어떤 동작을 하는 데 걸리는 시간이 길다.
늘이다	원래보다 더 길어지게 하다.
이따가	조금 지난 뒤에.
있다가	사람, 동물, 물체 등이 있는 상태이다가.

※ '느리다'와 '늘이다'는 [느리다]로, '이따가'와 '있다가'는 [이따가]와 [읻따가]로 비슷하게 소리 나기 때문에 헷갈리기 쉬운 낱말입니다.

똑똑한 하루 글쓰기 미리 보기

▶정답 및 해설 12쪽

● 다음 낱말에 알맞은 뜻을 선으로 각각 잇고, 각 낱말을 사용한 문장을 읽어 보세요.

낱말	늘이다	이따가	있다가
뜻	사람, 동물, 물체 등이 있는 상태이다가.	원래보다 더 길어지게 하다.	조금 지난 뒤에.
문장	해가 떠 있다가 사라졌다.	고무줄을 늘이다.	이따가 비행기가 뜰 예정이다.

느리다/늘이다, 이따가/있다가

● 다음 그림일기를 보고, 알맞은 낱말을 사용해 문장을 쓰세요.

20○○년 ○○월 ○○일 토요일	날씨: 비 오는 날

	연	극	을		보	았	다	.	연
극		속		피	노	키	오		인
형	의		코	를		어	떻	게	
느	리	는	지		궁	금	했	다	.
코	가		이	따	가		없	다	가
하	는		마	법		같	았	다	.

오늘 있었던 일을 잘 썼어요. 그런데 '느리는지'을 '늘이는지'로, '이따가'를 '있다가'로 고치면 더 좋은 글이 될 것 같아요.

어휘 풀이

▼ **연극**|멀리 흐를 **연** 演, 연극 **극** 劇| 배우가 무대 위에서 대본에 따라 관객에게 연기를 보이는 것.

㉠ 우리 반 친구들과 연극 공연을 준비했다.

▼ **마법**|마귀 **마** 魔, 법도 **법** 法| 신비한 존재나 힘에 의해 과학적으로 설명할 수 없는 신기한 일을 하는 기술.

㉠ 마법으로 의자를 공중에 띄웠다.

▶정답 및 해설 12쪽

낱말 쓰기

1 단계 밑줄 그은 낱말을 알맞게 고쳐 쓰세요.

(1) 코를 어떻게 <u>느리는지</u> 궁금했다.

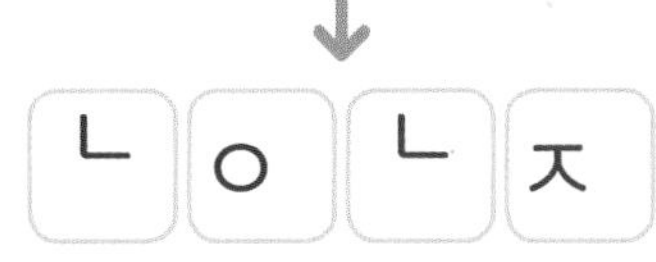

(2) 코가 <u>이따가</u> 없다가 하는 마법 같았다.

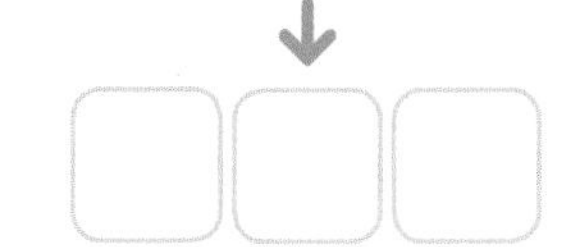

문장 쓰기

2 단계 그림을 보고, 알맞은 문장을 보기 에서 각각 골라 쓰세요.

보기
- 하준이는 진서보다 느리다.
- 하준이는 진서보다 늘이다.

(1)

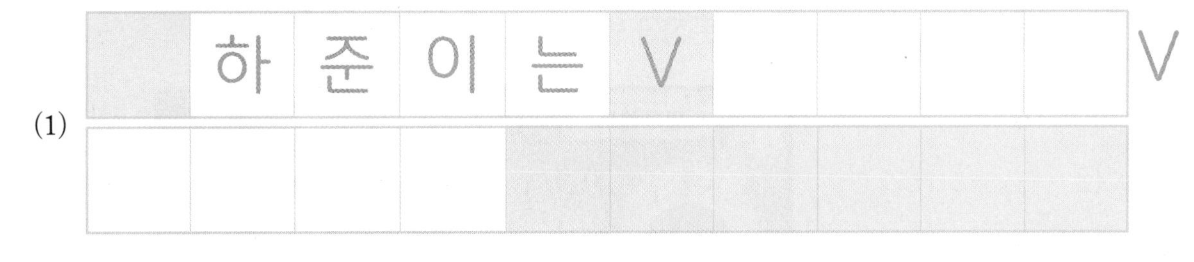

보기
- 이따가 또 전화할게.
- 있다가 또 전화할게.

(2)

				V	또	V			

▶정답 및 해설 12쪽

1 잘 듣고, 따라 쓰세요.

따라 쓰기

❶ 말 꼬 리 를 V 늘 이 다 .

❷ 이 따 가 V 만 나 .

2 잘 듣고, 빈칸에 알맞은 낱말을 받아쓰세요.

낱말 받아쓰기

❶ 강아지가 대문 앞에 [ ] 사라졌다.

❷ 달팽이는 동작이 [ ] .

3 잘 듣고, 그림에 알맞은 문장을 받아쓰세요.

문장 받아쓰기

				V	비	가	V	온	다
는	V				V				

▶ 정답 및 해설 12쪽

◉ 보기 의 낱말을 각각 한 번씩 사용하여 다음 그림 속 네 가지 상황에 알맞은 문장을 만들어 쓰세요.

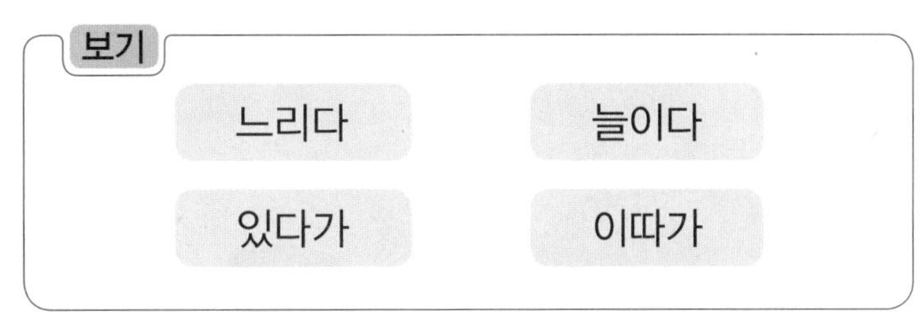

'느리다'는 '느려', '늘이다'는 '늘이고' 등으로 바꾸어 써 보아도 좋아요.

5일 깁다/깊다, 다리다/달이다

깁다/깊다, 다리다/달이다를 구분해 문장을 써라!

깁다	떨어지거나 해어진 곳에 다른 조각을 대거나 또는 그대로 꿰매다.
깊다	겉에서 속까지의 거리가 멀다.
다리다	옷 따위의 주름이나 구김을 펴고 줄을 세우려고 다리미나 인두로 문지르다.
달이다	액체 따위를 끓여 진하게 만들거나 약재 따위에 물을 부어 우러나도록 끓이다.

※ '깁다'와 '깊다'는 [깁따]로, '다리다'와 '달이다'는 [다리다]로 비슷하게 소리 나기 때문에 헷갈리기 쉬운 낱말입니다.

▶정답 및 해설 13쪽

◎ 사다리 타기를 하여 도착한 곳의 낱말을 따라 쓰며, 낱말이 사용된 문장을 읽어 보세요.

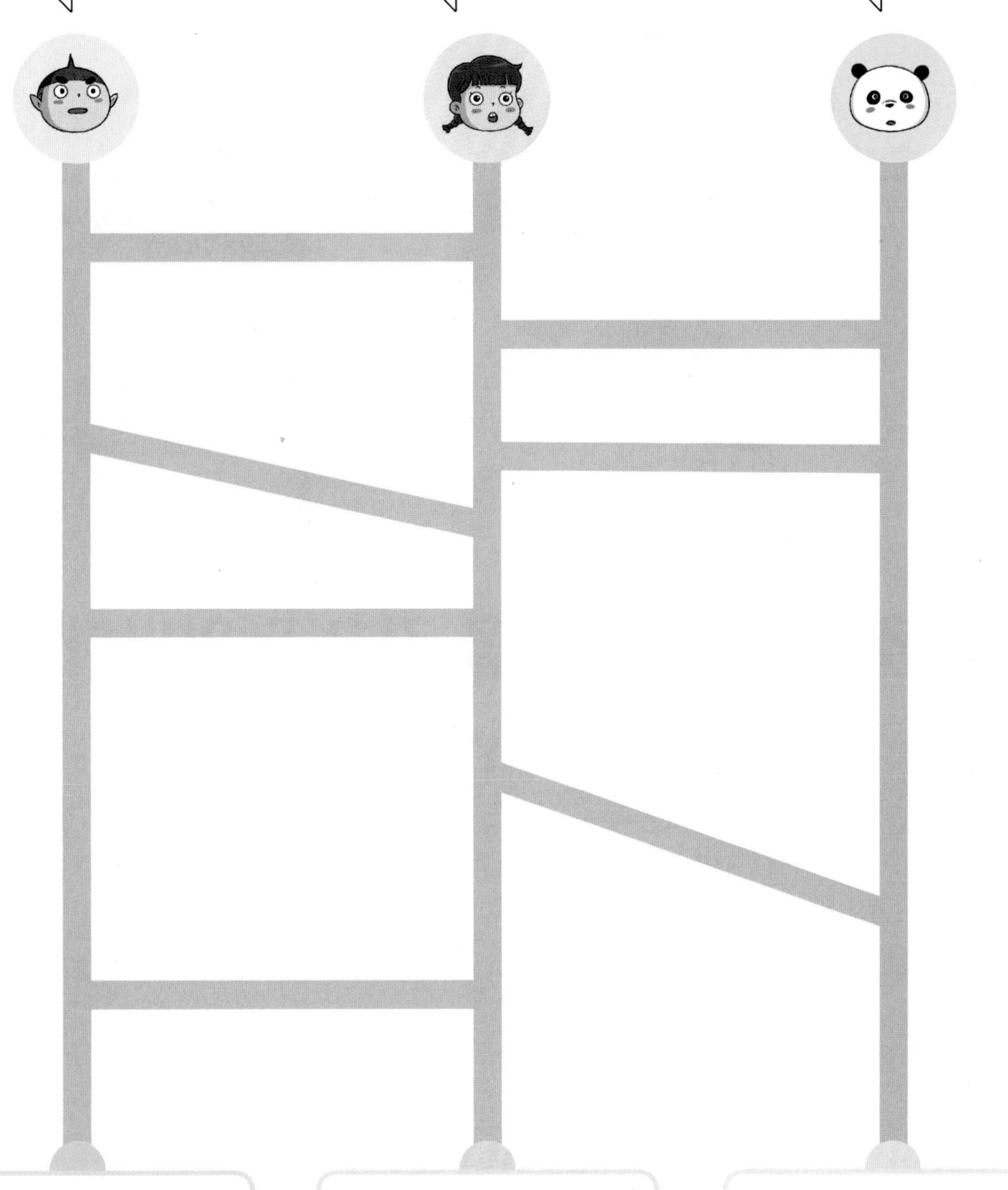

달 이 다
예 사골 국물을 달이다.

다 리 다
예 구겨진 바지를 다리다.

깁 다
예 구멍 난 셔츠를 깁다.

5일 깁다/깊다, 다리다/달이다

◉ 다음 광고를 보고, 알맞은 낱말을 사용해 문장을 쓰세요.

깊고 달인다고?
세탁소에 찢어지고 구겨진 옷을 맡기려고 하는데,
이 광고만 보고서는 내 옷을 맡겨도 되는지 잘 모르겠어.

어휘 풀이

▼ **세탁소**|씻을 세 洗, 씻을 탁 濯, 바 소 所| 돈을 받고 남의 빨래나 다림질 따위를 해 주는 곳.
예) 세탁소에 맡긴 옷이 깨끗해졌다.

▼ **정성**|찧을 정 精, 정성 성 誠| 온갖 힘을 다하려는 참되고 성실한 마음.
예) 선생님께 정성 어린 편지를 썼다.

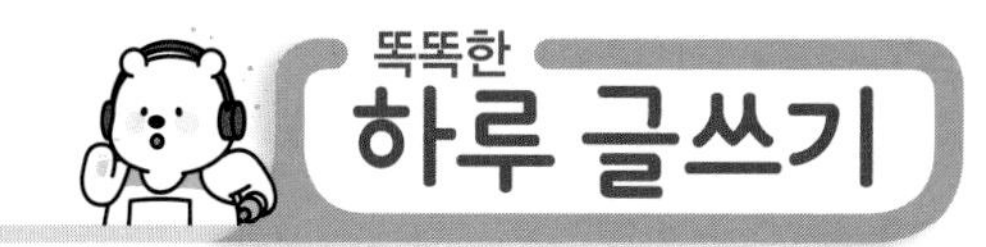

▶정답 및 해설 13쪽

낱말 쓰기

1 단계 다음 사진을 보고, 빈칸에 알맞은 낱말을 보기 에서 각각 골라 쓰세요.

보기

깁다	깊다	다리다	달이다

(1) 옷을 ☐☐.　　(2) 옷을 ☐☐☐.

문장 쓰기

2 단계 다음 그림을 보고, 알맞은 문장을 보기 에서 각각 골라 쓰세요.

보기

- 바다가 깁고 푸르다.
- 바다가 깊고 푸르다.

(1)

보기

- 창가에 앉아 차를 달여 마셨다.
- 창가에 앉아 차를 다려 마셨다.

(2)

▶ 정답 및 해설 13쪽

1 따라 쓰기

잘 듣고, 따라 쓰세요.

❶ 해진 V 바지를 V 깁다.

❷ 웃옷을 V 다리다.

2 낱말 받아쓰기

잘 듣고, 빈칸에 알맞은 낱말을 받아쓰세요.

❶ 찢어진 치마를 [   ][   ].

❷ [   ][   ] 산속에 오두막 한 채가 있다.

3 문장 받아쓰기

잘 듣고, 그림에 알맞은 문장을 받아쓰세요.

할아버지께 V [   ][   ] V

[   ][   ][   ] V [   ][   ][   ][   ][   ][   ]

▶정답 및 해설 13쪽

● 친구가 쓴 문장 과 같이 보기 의 말을 모두 사용하여 그림에 어울리는 문장을 쓰세요.

친구가 쓴 문장

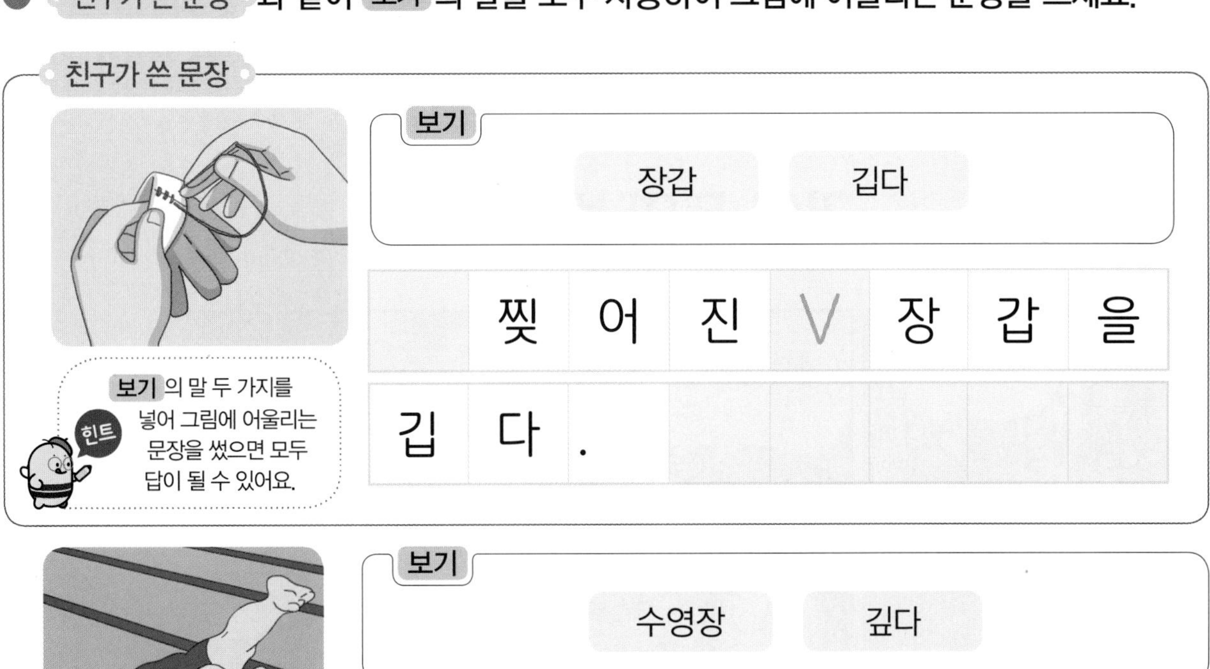

보기

장갑 　 길다

	찢	어	진	V	장	갑	을
길	다	.					

힌트 보기 의 말 두 가지를 넣어 그림에 어울리는 문장을 썼으면 모두 답이 될 수 있어요.

❶

보기

수영장 　 깊다

	수	영	장	V	물	이	V
깊	다	.					

❷

보기

아기 옷 　 다리다

❸

보기

간장 　 달이다

2주

생활 어휘

다음 만화를 보며 '귀에 못이 박히다'라는 표현의 뜻을 알아보고, 상황에 맞게 써 보세요.

귀에 못이 박혔다고?

▶정답 및 해설 14쪽

표현의 뜻을 알아봐요!

귀에 못이 박히다

이 말은 "같은 말을 너무나 여러 번 듣다."라는 뜻으로 쓰이는 표현이랍니다.

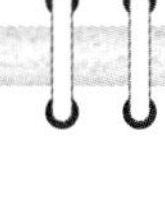
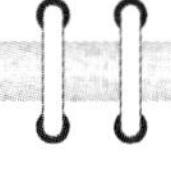

이제 이 표현을 넣어 상황에 맞게 써 볼까요?

도대체 공부하라는 말을 몇 번째 듣는 건지 모르겠어. "귀 에 못 이 박 히 다"라는 말이 생각난다.

◉ 개미가 친구에게 먹이를 무사히 나누어 줄 수 있도록 다음에서 설명하는 낱말을 이루는 글자를 차례대로 따라가며 길 찾기 놀이를 해 보세요.

창의 2주에 나왔던 **낱말과 그 뜻**을 익히며 길을 찾아봅니다.

▶정답 및 해설 14쪽

● 은아가 바른 말 맞히기 대회에 나갔어요. 문제를 맞히면 3점을 얻고, 문제를 틀리면 1점을 잃는다고 하였을 때 네 단계를 모두 끝낸 후 은아의 점수를 계산하여 쓰세요.

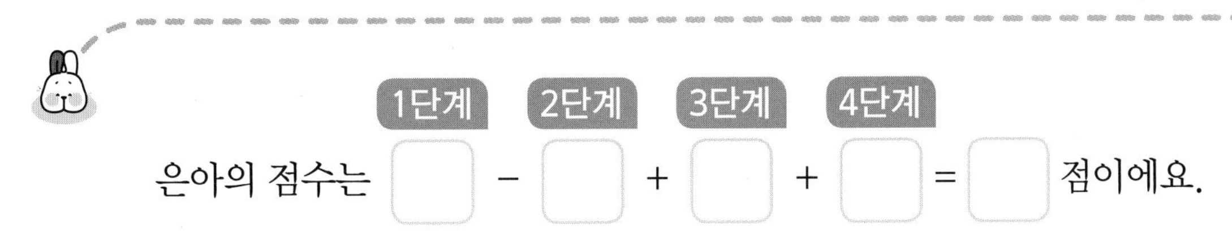

융합 국어+수학

각 단계의 정답이 되는 낱말을 생각해 보고, **한 자릿수 덧셈과 뺄셈**을 하여 점수도 계산해 봅니다.

● 각 계절의 풍속을 소개하는 사람들의 말을 보고, 알맞은 낱말에 각각 ◯표를 하세요.

융합 국어+사회 **각 계절의 풍속**을 떠올리며 알맞은 낱말을 찾아봅니다.

▶정답 및 해설 14쪽

◉ 다음은 옷을 깁고 다리는 데에 필요한 도구들을 그림으로 나타낸 것입니다. 다음 차례대로 도구들을 지나 길을 찾아갈 수 있도록 순서 카드에 알맞은 숫자를 쓰세요.

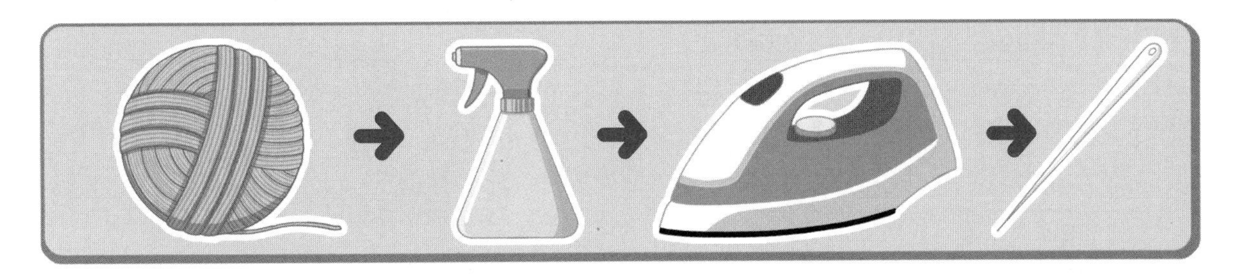

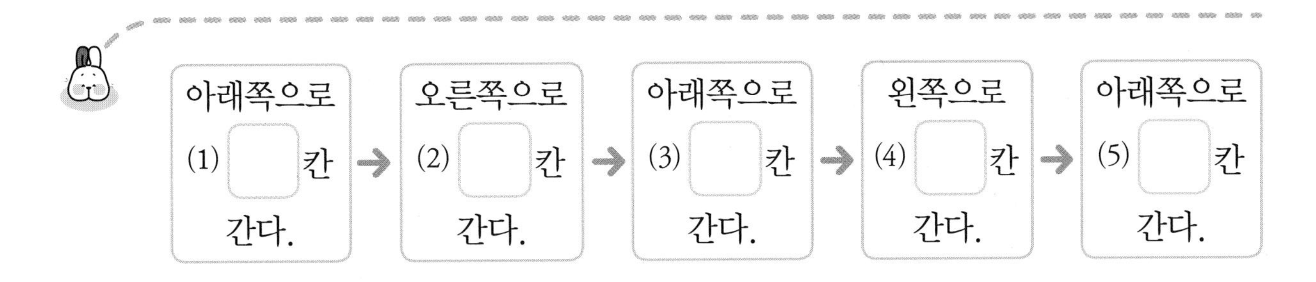

코딩 옷을 깁고 다리는 데에 필요한 도구들의 이름을 떠올리며, **순서 카드를 완성**해 봅니다.

누구나 100점 테스트

1 헷갈리기 쉬운 낱말을 바르게 써야 하는 까닭을 알맞게 말한 친구의 이름에 ○표를 하세요.

알맞은 낱말을 사용하면 서로 무슨 말을 하는지 분명히 알 수 있어.

알맞은 낱말을 사용하면 문장의 뜻을 정확하게 알 수 없어.

밤톨

달래

2 다음 뜻에 알맞은 낱말에 ○표를 하세요.

작은 물체, 생각이나 행동 따위가 비뚤어지거나 기울거나 굽지 않고 바르게.

(1) 반드시 (　　　)

(2) 반듯이 (　　　)

글쓰기

3 다음은 받아쓰기를 한 문장입니다. 밑줄 그은 낱말을 바르게 고쳐 쓰세요.

집을 청소하라고 <u>식혔다</u>.

↓

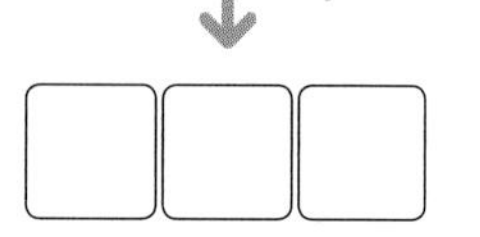

4 빈칸에 알맞은 낱말을 골라 따라 쓰세요.

거름 / 걸음 을 주면 농작물이 잘 자란다.

글쓰기

5 다음 밑줄 그은 낱말을 알맞게 고치고 문장을 따라 쓰세요.

	우	리	V	<u>가</u>	<u>치</u>	V
퀴	즈	V	대	회	에	V
나	가	V	보	자	.	

↓

	우	리	V			V
퀴	즈	V	대	회	에	V
나	가	V	보	자	.	

▶정답 및 해설 15쪽

6 다음 그림에 알맞은 낱말에 ◯표를 하세요.

• 형이 낸 수학 문제를 (마치다 , 맞히다).

7 빈칸에 들어갈 낱말로 알맞은 것을 각각 선으로 이으세요.

(1) 달팽이는 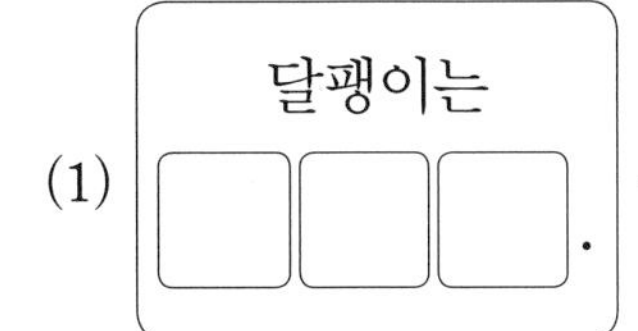 . • • ①  늘이다

(2) 말꼬리를  . • • ② 느리다

8 다음 대화를 읽고, 빈칸에 알맞은 낱말을 보기 에서 골라 쓰세요.

보기
느리구나　　늘이구나

다영: 달리기 경주에서 진서와 하준이 중에 누가 이겼니?
윤서: 진서가 이겼어.
다영: 하준이가 진서보다 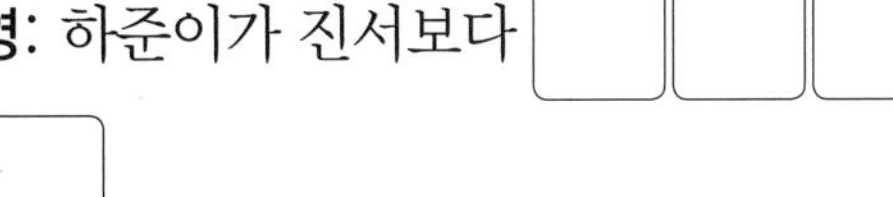 .

글쓰기

9 빈칸에 알맞은 낱말을 각각 보기 에서 골라 쓰세요.

보기
깁다　　깊다

(1) 바다가 ☐☐.

(2) 윗옷을 ☐☐.

10 빈칸에 들어갈 낱말로 알맞은 것을 각각 선으로 이으세요.

(1) 다리다 • • ① 옷 따위의 주름이나 구김을 펴고 줄을 세우려고 다리미나 인두로 문지르다.

(2) 달이다 • • ② 액체 따위를 끓여 진하게 만들거나 약재 따위에 물을 부어 우러나도록 끓이다.

3주 이번 주에는 무엇을 공부할까? ❶

쪽지를 써 보자!

1일 초대하는 쪽지 쓰기
2일 사과하는 쪽지 쓰기
3일 고마움을 표현하는 쪽지 쓰기
4일 칭찬하는 쪽지 쓰기
5일 문자 메시지 쓰기

3주 이번 주에는 무엇을 공부할까? ❷

1-1 다음 달래가 말하는 것은 무엇에 대한 설명인지 알맞은 말에 ○표를 하세요.

전하고자 하는
내용의 글을 종이에
간단하게 쓰는 것을 말해.

(1) 쪽지 쓰기 (   )

(2) 일기 쓰기 (   )

1-2 다음 빈칸에 들어갈 알맞은 말을 보기 에서 골라 쓰세요.

쪽지 쓰기는 전하고자 하는 내용의 글을 종이에 [   ] 쓰는 것이에요.

보기
- 다르게
- 비슷하게
- 간단하게

▶ 정답 및 해설 16쪽

2-1 다음 그림을 보고, 어떤 종류의 쪽지 쓰기를 하면 좋을지 보기 에서 골라 쓰세요.

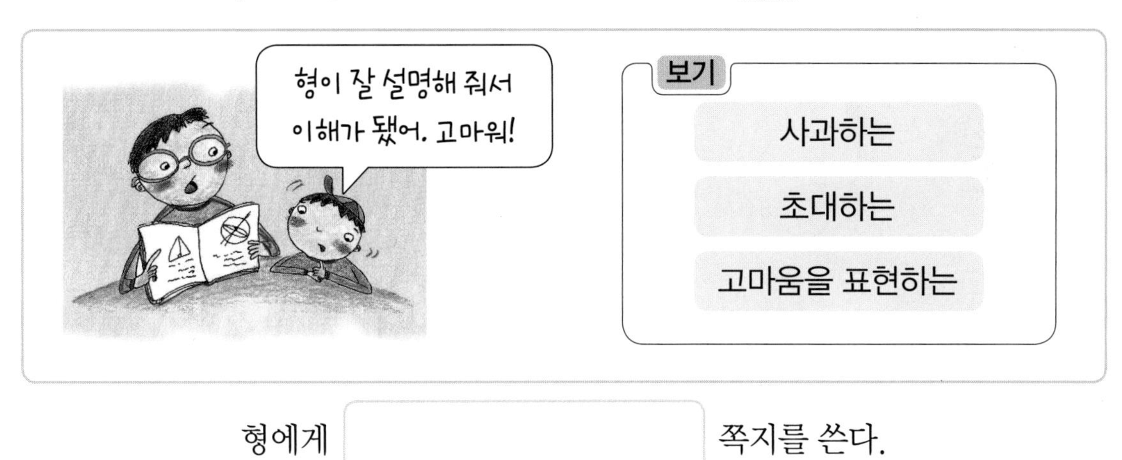

보기
- 사과하는
- 초대하는
- 고마움을 표현하는

형에게 [ ] 쪽지를 쓴다.

2-2 다음은 어떤 종류의 쪽지 쓰기인지 알맞은 것을 골라 ○표를 하세요.

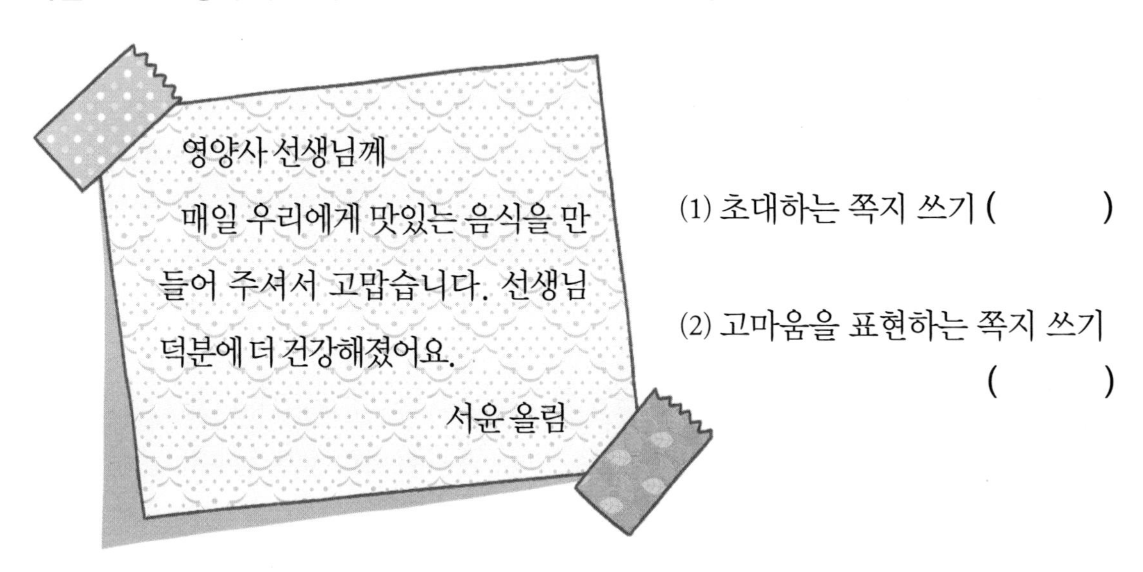

영양사 선생님께

매일 우리에게 맛있는 음식을 만들어 주셔서 고맙습니다. 선생님 덕분에 더 건강해졌어요.

서윤 올림

(1) 초대하는 쪽지 쓰기 (　　　)

(2) 고마움을 표현하는 쪽지 쓰기 (　　　)

3주

초대하는 쪽지 쓰기

함께하고 싶은 사람에게 초대하는 쪽지를 써 보자!

쪽지 쓰기는 전하고자 하는 내용의 글을 종이에 간단하게 쓰는 것을 말해요.
초대할 때, 사과할 때, 칭찬할 때, 고마움을 표현할 때 등 다양하게 쓸 수 있어요.
초대하는 쪽지를 쓸 때에는 언제, 어디에서, 무슨 일로 초대하는지 써야 하고,
쪽지를 받는 사람과 쪽지를 쓴 사람도 써야 해요.

▶정답 및 해설 16쪽

◉ 사다리 타기를 하여 도착한 곳의 낱말을 따라 쓰며, 초대하는 쪽지를 쓰는 방법을 알아보아요.

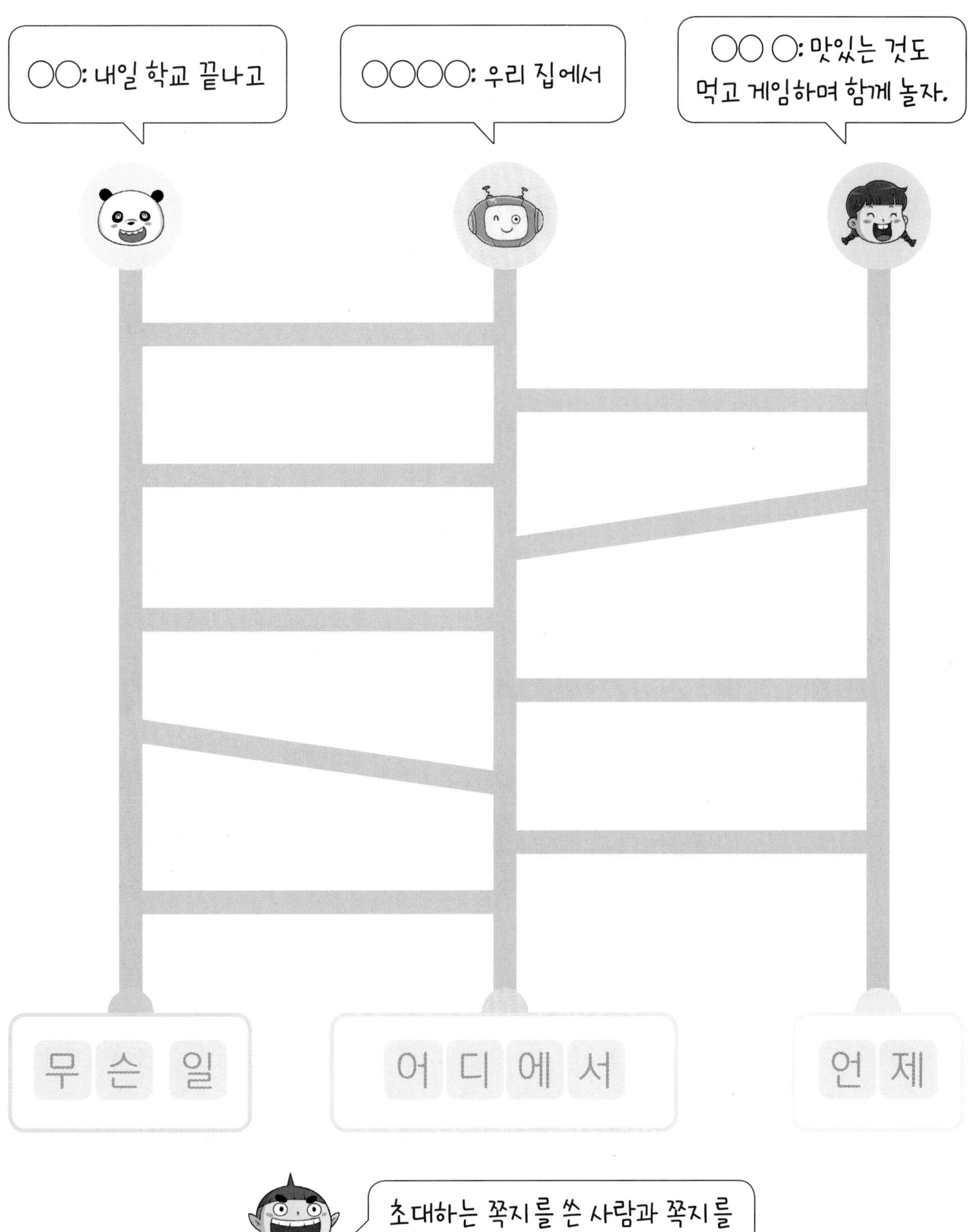

3주

1일 초대하는 쪽지 쓰기

● 다음 희수가 쓴 일기를 보고, 초대하는 쪽지를 써 보세요.

20○○년 ○○월 ○○일	날씨: 맑고 바람이 많이 붊

제목: 학예회 연습

4교시 수업이 끝나고 반 친구들과 모여 학예회 연습을 하였다.

나는 친구 3명과 함께 우쿨렐레를 연주하며 노래 부르기 공연을 준비하고 있다.

처음에는 4명이서 박자를 맞추기가 어려웠는데 연습하면 할수록 신나고 재미있었다.

다음 주 목요일 학교 강당에서 학예회를 하는데 부모님을 초대해서 공연을 보여 드리고 싶다.

어휘 풀이

▼ **학예회**|배울 학 學, 재주 예 藝, 모일 회 會| 주로 학생들의 작품을 전시하거나 준비한 공연 등을 발표하는 특별 교육 활동. ⓔ 동생의 유치원 학예회에 초대되어 다녀왔다.

▼ **연주**|멀리 흐를 연 演, 아뢸 주 奏| 악기를 다루어 곡을 표현하거나 들려주는 일. ⓔ 삼촌의 기타 연주 공연을 보러 갔다.

▼ **초대**|부를 초 招, 기다릴 대 待| 어떤 모임에 참가해 줄 것을 청함. ⓔ 옆 반 친구가 생일잔치에 초대해 줬어.

▶정답 및 해설 16쪽

낱말 쓰기

1단계 다음 그림을 보고, 빈칸에 알맞은 낱말을 보기 에서 각각 골라 쓰세요.

보기

운동회　　학예회　　공연　　운동

(1) 우리 반 □□□에 초대합니다.

(2) 친구들과 □□ 연습을 열심히 했습니다.

문장 쓰기

2단계 1에서 쓴 초대하는 말을 두 문장으로 정리하여 쓰세요.

❶ 우리 반 　　　　에 　　　　합니다.

❷ 친구들과 　　　　　　　　　　　　　했습니다.

한 편 쓰기

3단계 2에서 쓴 문장을 차례대로 넣어 초대하는 쪽지를 완성해 보세요.

부모님께

❶ ______________________________

❷ ______________________________

꼭 오셔서 즐겁게 봐 주세요.

❖ 언제: 다음 주 목요일 오후 1시

❖ 어디에서: 천재초등학교 강당

사랑스러운 딸 희수 올림

3주

▶정답 및 해설 16쪽

1 따라 쓰기

잘 듣고, 따라 쓰세요.

❶ 다음 V 주 V 목요일

❷ 우리 V 학교 V 강당

2 낱말 받아쓰기

잘 듣고, 빈칸에 알맞은 낱말을 받아쓰세요.

❶ ☐☐ 우리 집에 초대할게.

❷ ☐☐☐ 음식도 먹고 함께 놀자.

3 문장 받아쓰기

잘 듣고, 그림에 알맞은 문장을 받아쓰세요.

☐☐V☐☐☐V☐☐V

☐☐☐☐☐☐☐☐☐☐

▶정답 및 해설 16쪽

● 다음 대화를 보고, 달래가 초대하는 쪽지를 쓸 때 쪽지의 빈칸에 들어갈 알맞은 말을 보기 에서 골라 쓰세요.

기찬아!

목요일 3시에 우리 집에서 내 생일잔치를 하는데

❶ ______________________________

엄마께서 맛있는 음식도 해 준다고 하시니까

❷ ______________________________

____

달래가

보기

- 너를 초대하고 싶어.
- 함께 줄넘기 연습하자.
- 꼭 와서 함께 먹었으면 좋겠어.

힌트 생일잔치에 초대하는 쪽지의 내용에 맞게 빈칸에 들어갈 말을 골라 써 봐요.

3주

2일 사과하는 쪽지 쓰기

미안한 마음을 담아서 사과하는 쪽지를 써 보자!

사과하는 쪽지를 쓸 때에는 먼저 어떤 일이 있었는지 써야 해요.
그리고 '미안해.', '죄송합니다.' 등의 미안한 마음을 표현하는 말로
자신의 생각이나 느낌을 솔직하게 써요.
'앞으로는 조심할게.' 등의 앞으로의 다짐을 쓰면 좋아요.

▶정답 및 해설 17쪽

● 그림에 맞는 퍼즐 모양을 찾아 선으로 잇고, 사과하는 쪽지에 들어갈 말을 알아보아요.

미안한
마음을
표현하는 말

3
주

사과하는 쪽지에 들어갈 말을 생각하며 문장을 따라 쓰세요.

	현	정	아	,	발	을	V	밟	아
서	V	미	안	해	.	앞	으	로	는 V
조	심	할	게	.					

2일 사과하는 쪽지 쓰기

◉ 다음 만화를 보고, 아래층 할머니께 사과하는 쪽지를 써 보세요.

어휘 풀이

▼ **대충** 자세히 하지 않고 간단하게 추리는 정도로. 예 숙제를 대충 끝냈다.

▼ **살금살금** 남이 알아차리지 못하도록 눈치를 살펴 가면서 살며시 행동하는 모양.
예 친구가 살금살금 다가와서 나를 놀라게 했다.

▼ **푸셨으면** 일어난 감정 따위를 누그러뜨리셨으면. 예 아빠께서 문자 메시지를 보고 화를 푸셨으면 좋겠다.

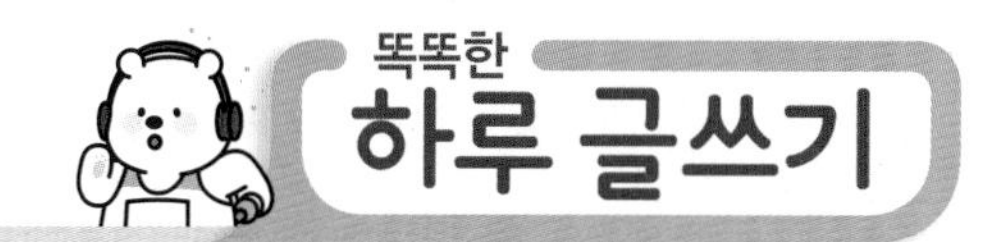

▶정답 및 해설 17쪽

낱말 쓰기

1 단계 다음 그림을 보고, 사과하는 쪽지에 들어갈 낱말을 보기 에서 각각 골라 쓰세요.

(1) 집 안에서 쿵쿵 [ ][ ] 다녔다.

(2) 정말 [ ][ ] 합니다.

문장 쓰기

2 단계 1 에서 쓴 내용을 한 문장으로 정리하여 쓰세요.

집 안에서 ________________ 다녀서 ________________.

한 편 쓰기

3 단계 2 에서 쓴 문장을 넣어 사과하는 쪽지를 완성해 보세요.

아래층 할머니께

	집	V	안	에	서	V			V
					V			V	

앞으로는 조심히 걷겠습니다.

위층에 사는 지수 올림

▶ 정답 및 해설 17쪽

1 따라 쓰기

잘 듣고, 따라 쓰세요.

❶ 살금살금 V 좀 V 다녀!

❷ 너무 V 시끄러워서

2 낱말 받아쓰기

잘 듣고, 빈칸에 알맞은 낱말을 받아쓰세요.

❶ [ ][ ][ ] 을 망가뜨려서 미안해.

❷ 동생을 [ ][ ][ ][ ] 죄송해요.

3 문장 받아쓰기

잘 듣고, 그림에 알맞은 문장을 받아쓰세요.

				V				V	
		V							

▶정답 및 해설 17쪽

● 다음 그림을 보고, 지헌이가 사과하는 쪽지를 쓸 때 빈칸에 알맞은 말을 보기 에서 골라 쪽지를 완성하세요.

보기

네가 짜증을 내니까 사과하고 싶지 않아.

네가 열심히 그린 그림을 내가 망쳐서 너무 미안해.

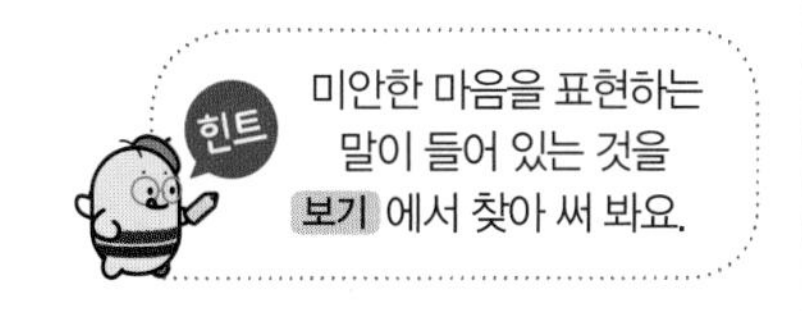

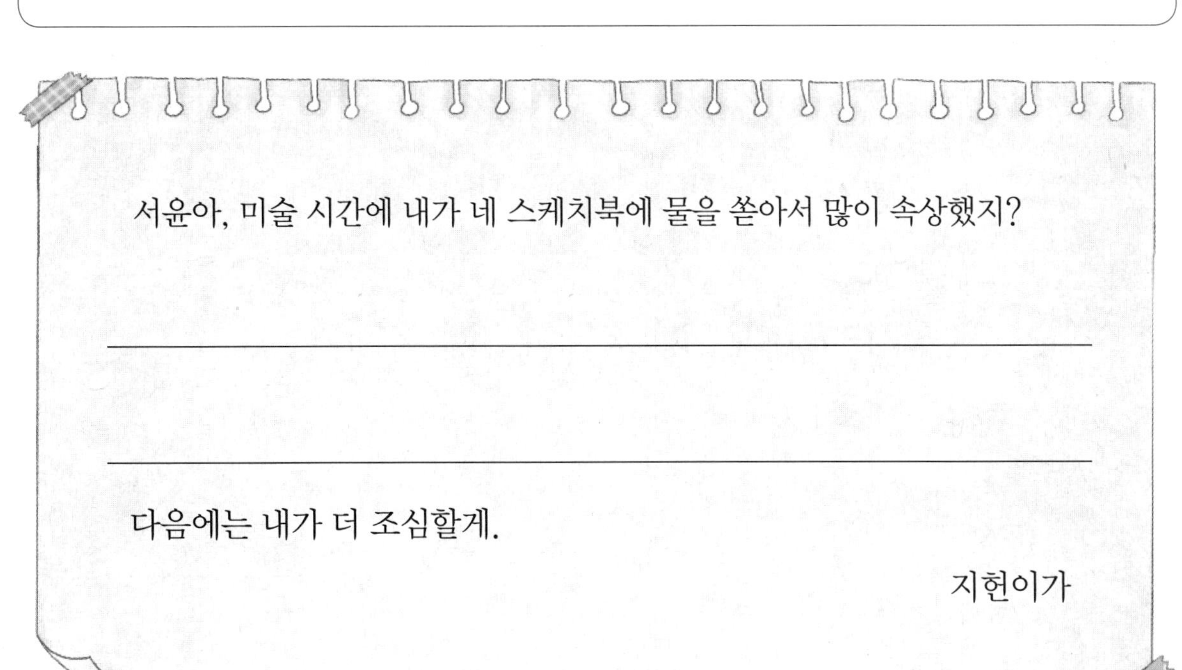

3주

고마움을 표현하는 쪽지 쓰기

고마운 사람에게 고마움을 표현하는 쪽지를 써 보자!

고마움을 표현하는 쪽지를 쓸 때에는
먼저 누구에게 어떤 일로 고마운 마음이 들었는지 고마웠던 일을 써요.
그리고 '고마워.', '감사해요.', '네 마음에 감동받았어.' 등의
고마움을 나타내는 말로 자신의 마음을 솔직하게 표현해요.

▶정답 및 해설 18쪽

● 고마움을 표현하는 쪽지를 쓰는 방법에 맞게 빈칸에 알맞은 말을 쓰고, 퍼즐판에서 찾아 ◯표를 하세요.

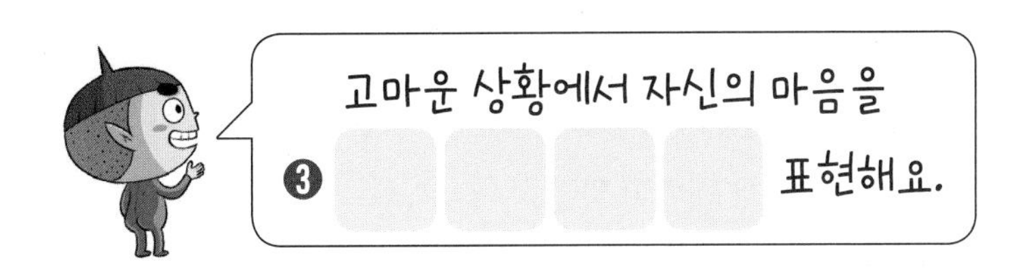

3주

3일 고마움을 표현하는 쪽지 쓰기

● 다음 이야기를 읽고, 두루미가 여우에게 고마움을 표현하는 쪽지를 써 보세요.

여우와 두루미

어느 날, 여우가 두루미를 집에 초대했어요.

두루미야, 널 위해서 빨대를 준비했어.

음식을 빨대로 먹으니까 정말 편하다! 나를 배려해 줘서 고마워.

며칠이 지난 어느 날, 두루미도 여우를 집으로 초대했어요.

여우야, 그릇이 불편할 것 같아서 긴 젓가락을 준비했어.

과자 맛있다. 긴 젓가락으로 먹으니 정말 편하고 좋아. 배려해 줘서 고마워.

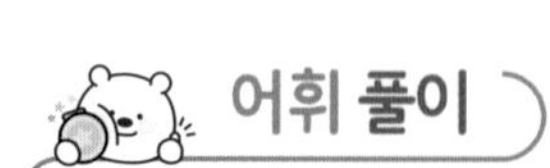

▼**준비**|법도 준 準, 갖출 비 備| 미리 마련하여 갖춤. ㉮ 우리 가족은 여행 갈 준비를 모두 마쳤다.

▼**배려**|짝 배 配, 생각할 려 慮| 도와주거나 보살펴 주려고 마음을 씀.
㉮ 부모님은 항상 나에게 관심과 배려를 아끼지 않으신다.

▶정답 및 해설 18쪽

낱말 쓰기

1 단계 다음 그림을 보고, 빈칸에 알맞은 낱말을 보기 에서 각각 골라 쓰세요.

보기

포크	빨대	미워해	고마워

(1) 음식을 □□ 로 먹으니까 정말 편했어.　(2) 나를 배려해 줘서 □□□.

문장 쓰기

2 단계 1 에서 고마움을 표현한 말을 두 문장으로 쓰세요.

❶ 음식을 □□□□□□□ 정말 편했어.

❷ 나를 .

한 편 쓰기

3 단계 2 에서 쓴 문장을 넣어 고마움을 표현하는 쪽지를 완성하세요.

여우야,

❶ 음식을 ______________________

❷ 나를 ______________________

다음에는 우리 집에 초대할게.

두루미가

3주

3일 똑똑한 하루 글쓰기 받아쓰기

▶ 정답 및 해설 18쪽

1 따라 쓰기

잘 듣고, 따라 쓰세요.

❶ 사랑하는 V 부모님

❷ 항상 V 고맙습니다.

2 낱말 받아쓰기

잘 듣고, 빈칸에 알맞은 낱말을 받아쓰세요.

❶ [ ] 를 빌려줘서 고마워.

❷ 의사 선생님, 치료해 주셔서 [ ] 해요.

3 문장 받아쓰기

잘 듣고, 그림에 알맞은 문장을 받아쓰세요.

형, V

V

내 생각 쓰기로 하루 마무리

▶ 정답 및 해설 18쪽

● 친구가 쓴 글 을 보고, 고마운 사람을 떠올려 고마움을 표현하는 쪽지를 써 보세요.

친구가 쓴 글

형종이에게
내가 다쳤을 때 가방을 대신 들어 주어서 정말 고마워! 잊지 않을게.
효영이가

사랑하는 엄마!
제 방을 청소해 주셔서 감사해요. 덕분에 방이 깨끗해졌어요.
유진 올림

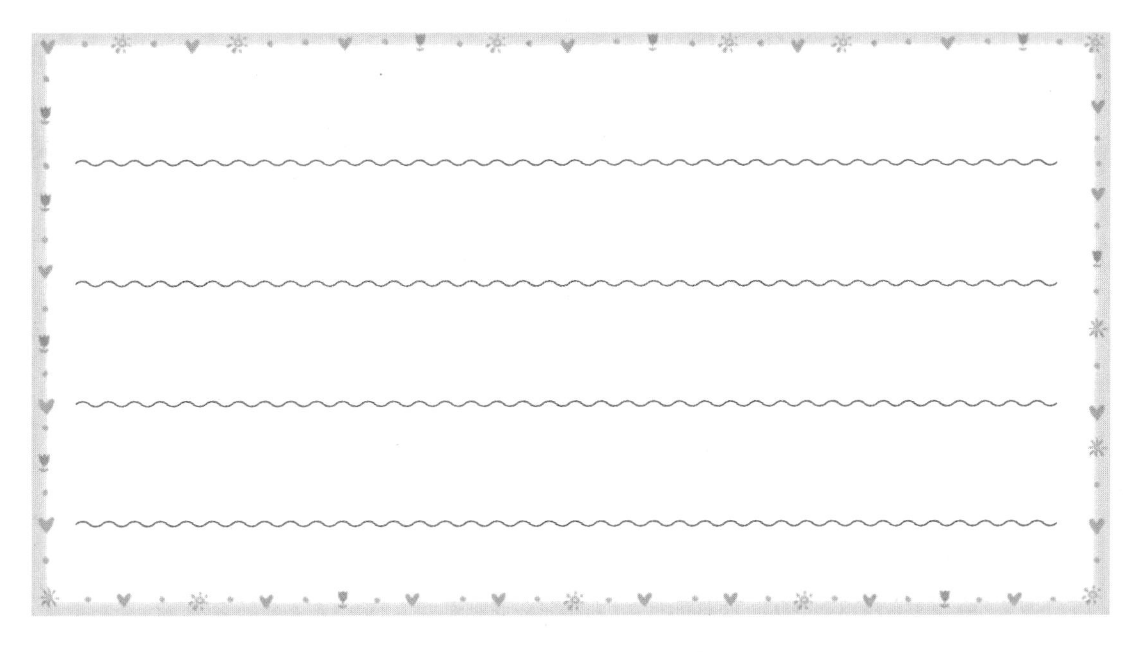

힌트 고마움을 표현하는 쪽지를 쓸 때에는 고마웠던 일과 고마움을 나타내는 말을 솔직하게 써요.

3주

칭찬하는 쪽지 쓰기

친구의 좋은 점을 찾아 칭찬하는 쪽지를 써 보자!

칭찬하는 쪽지를 쓸 때에는
친구가 잘하는 점이나 친구가 열심히 노력하는 점 등
칭찬할 일을 찾아 써야 해요.
그리고 칭찬한 일에 대한 자신의 생각이나 느낌도 함께 쓰면 좋아요.

▶정답 및 해설 19쪽

● 그림에 맞는 퍼즐 모양을 찾아 선으로 잇고, 칭찬하는 쪽지를 쓰는 방법을 알아보아요.

칭찬하는 쪽지에 들어갈 말을 생각하며 문장을 따라 쓰세요.

	너	는	V	참	V	인	사	를	V
잘	하	는	구	나	.	나	도	V	너
의	V	그	런	V	점	을	V	본	받
고	V	싶	어	.					

3주

칭찬하는 쪽지 쓰기

◎ 다음은 교실 알림판에 친구를 칭찬하는 쪽지를 써서 붙인 것입니다. 잘 읽고, 칭찬하는 쪽지를 써 보세요.

어휘 풀이

▼ **꾸준히** 한결같이 부지런하고 끈기가 있는 태도로.

㉠ 우리 형은 꾸준히 노력해서 태권도 대회에서 상을 받았다.

▼ **가리지** 음식을 골라서 먹지. ㉠ 음식을 가리지 않고 먹어야 건강해져.

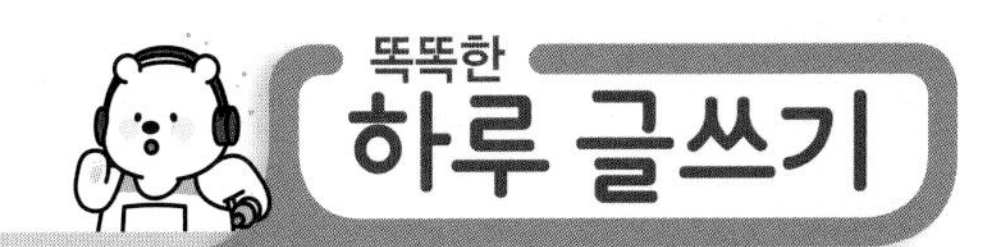

▶정답 및 해설 19쪽

낱말 쓰기

1단계 다음 그림을 보고, 친구의 어떤 점을 칭찬하면 좋을지 빈칸에 알맞은 낱말을 보기 에서 각각 골라 쓰세요.

보기

글씨 | 만화 | 삐뚤빼뚤 | 또박또박

(1) 너는 ☐☐를 정말 예쁘게 쓰는구나.

(2) 나도 글씨를 ☐☐☐☐ 써야겠어.

문장 쓰기

2단계 1에서 쓴 칭찬한 말과 칭찬한 일에 대한 생각이나 느낌을 두 문장으로 정리하여 쓰세요.

❶ 너는 ☐☐를 정말 ☐☐☐ 쓰는구나.

❷ 나도 써야겠어.

한 편 쓰기

3단계 2에서 쓴 문장을 넣어 칭찬하는 쪽지를 쓰세요.

	❶유	진	아	,	너	는	V		
	V			V				V	
				❷나	도	V			V
				V					

▶정답 및 해설 19쪽

1 따라 쓰기

잘 듣고, 따라 쓰세요.

❶ 이 길 V 수 V 있 었 어 .

❷ 튼 튼 한 V 것 V 같 아 .

2 낱말 받아쓰기

잘 듣고, 빈칸에 알맞은 낱말을 받아쓰세요.

❶ 아빠의 [ ][ ]는 정말 맛있어요.

❷ 너는 노래를 정말 [ ][ ][ ].

3 문장 받아쓰기

잘 듣고, 그림에 알맞은 문장을 받아쓰세요.

춤 을 V [ ][ ] V [ ] V [ ]

[ ][ ][ ][ ][ ][ ][ ][ ][ ][ ]

▶ 정답 및 해설 19쪽

친구가 잘하는 점이나 열심히 노력하는 점 등 칭찬할 점을 보기 에서 골라 칭찬하는 쪽지를 써 보세요.

보기

옷을 예쁘게 잘 입는 것

항상 환하게 밝게 웃는 것

책을 하루도 빠짐없이 열심히 읽는 것

교실 청소를 빼먹지 않고 성실하게 하는 것

줄넘기를 열심히 연습해서 실력이 많이 좋아진 것

힌트 보기 에서 한 가지를 골라 칭찬할 일과 그에 대한 자신의 생각이나 느낌을 넣어 칭찬하는 쪽지를 써 봐요.

5일 문자 메시지 쓰기

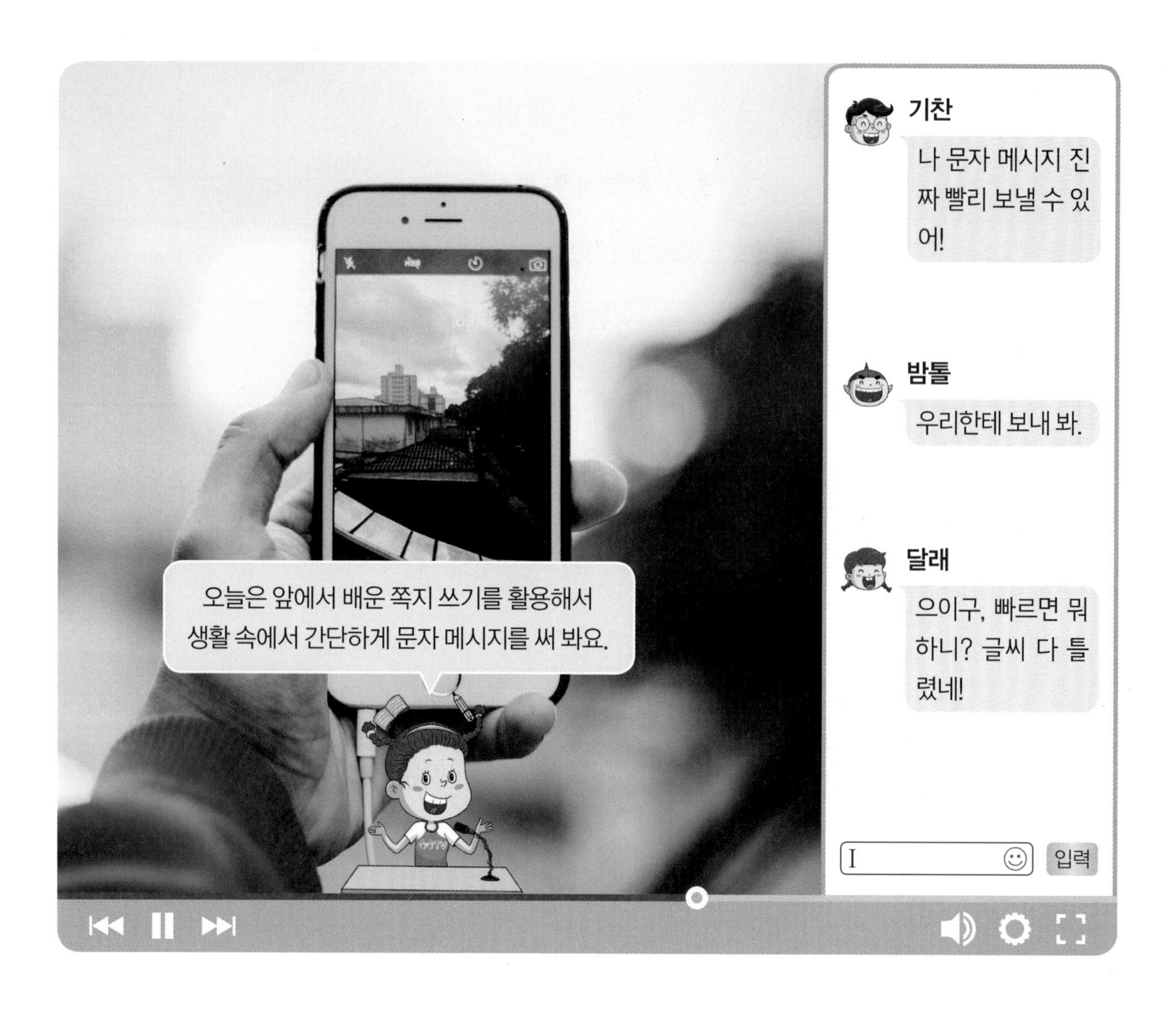

일상생활 속에서 문자 메시지를 써 보자!

문자 메시지를 쓸 때에는
자신이 하고 싶은 말을 정확하고 간단히 써야 해요.
그리고 바르고 고운 말을 사용해서 쓰고, 맞춤법에 맞게 써야 해요.
줄임 말도 쓰지 않도록 주의해요.

▶정답 및 해설 20쪽

사다리 타기를 하여 도착한 곳의 낱말을 따라 쓰며, 문자 메시지를 쓰는 방법을 알아보아요.

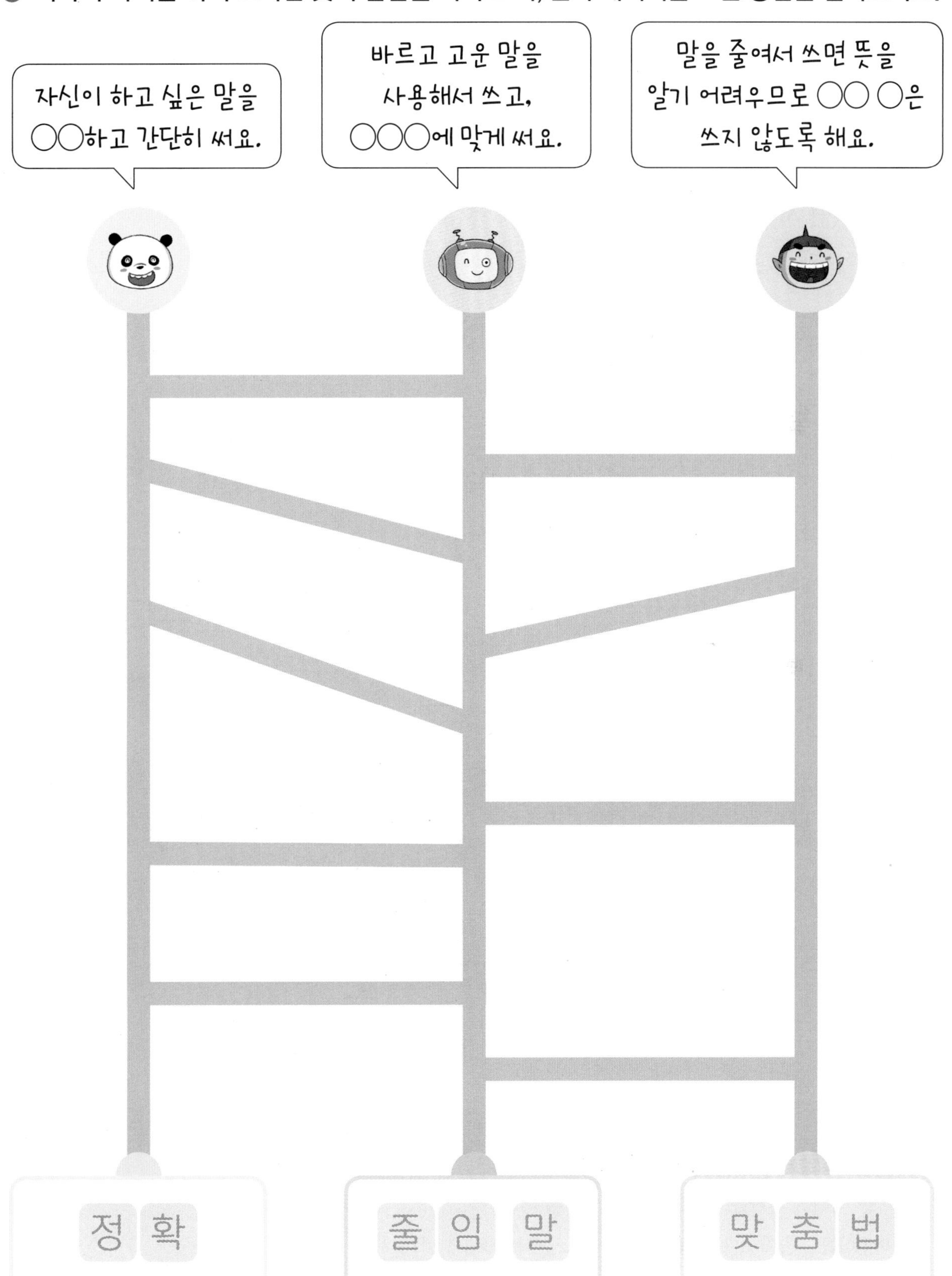

문자 메시지 쓰기

◉ **다음 대화를 보고, 엄마께 문자 메시지를 써 보세요.**

토요일 오후, 희수는 지온이와 함께 공원에서 농구를 하기로 했어요.

지온아, 안녕? 먼저 연습하고 있었네.

희수야, ▼오랜만에 누가 공 더 많이 넣나 내기해 볼까?

좋아! 시작이다!

둘은 서로 공을 뺏고 뺏기고 하면서 신나게 농구를 했어요.

너무 열심히 운동했더니 배고프다. 우리 떡볶이 먹으러 갈까?

사실 나도 배고파. 그런데 엄마께 1시간만 놀다가 온다고 했는데…….

엄마께 문자 메시지 보내서 한번 ▼여쭈어봐.

응, 알겠어.

어휘 풀이

▼**오랜만** '오래간만'의 준말. 어떤 일이 있은 때로부터 긴 시간이 지난 뒤.
예 아빠께 허락을 받고 오랜만에 게임을 했다.

▼**여쭈어봐** '물어보다'의 높임말. 예 바느질하는 방법을 할머니께 여쭈어봐.

▶정답 및 해설 20쪽

낱말 쓰기

1단계 다음 그림을 보고, 빈칸에 알맞은 낱말을 보기 에서 각각 찾아 쓰세요.

보기			
야구	농구	떡볶이	햄버거

(1) 엄마, [ ][ ]를 했더니 배가 고파요.

(2) 지온이와 [ ][ ][ ]를 먹고 가도 될까요?

문장 쓰기

2단계 1에서 쓴 말을 두 문장으로 정리하여 쓰세요.

❶ 엄마, ______________________ 배가 고파요.

❷ 지온이와 ______________________ 될까요?

한 편 쓰기

3단계 2에서 쓴 문장을 넣어 엄마께 보낼 문자 메시지를 쓰세요.

	❶엄	마	,				V		
	V			V					❷지
온	이	와	V					V	
	V			V					

▶ 정답 및 해설 20쪽

1 따라 쓰기

잘 듣고, 따라 쓰세요.

❶ 연습하고 V 있었네.

❷ 운동했더니 V 배고파.

2 낱말 받아쓰기

잘 듣고, 빈칸에 알맞은 낱말을 받아쓰세요.

❶ 내일 [ ] 이 뭐니?

❷ 3시에 [ ] 에서 만나자.

3 문장 받아쓰기

잘 듣고, 그림에 알맞은 문장을 받아쓰세요.

아빠, V V

▶ 정답 및 해설 20쪽

다음 만화를 보고, 나연이가 엄마께 보내는 생신을 축하하는 문자 메시지를 완성해 보세요.

100%

엄마, ____________________

____

엄마, 사랑해요! ♡

그래, 고마워. 엄마도 우리 딸 너무 사랑해.

그리고 오늘 아빠가 맛있는 거 사 주신다니 일찍 오렴.

네, 엄마.

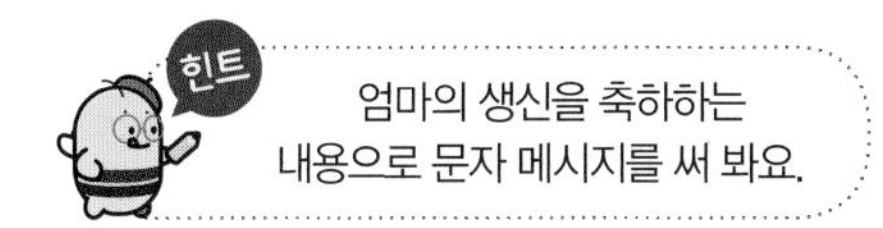

엄마의 생신을 축하하는 내용으로 문자 메시지를 써 봐요.

3주

생활 어휘 다음 만화를 보며 '발이 넓다'라는 표현의 뜻을 알아보고, 상황에 맞게 써 보세요.

발이 넓다

▶정답 및 해설 21쪽

표현의 뜻을 알아봐요!

발이 넓다

"사귀어 아는 사람이 많아 활동하는 범위가 넓다."라는 뜻으로 쓰이는 표현이랍니다.

이제 이 표현을 넣어 상황에 맞게 써 볼까요?

우리 엄마는 동네에 모르는 사람이 없을 정도로 발 이 넓 다.

3주 특강

◉ 아이가 다른 곳에 들르지 않고 곧바로 집으로 갈 수 있도록 뜻에 알맞은 낱말을 찾아 따라 쓰며 집으로 가는 길을 선으로 이어 보세요.

창의 3주에 나왔던 **낱말과 그 뜻**을 익히며 집으로 가는 길 찾기를 해 봅니다.

▶정답 및 해설 21쪽

◉ 친구의 생일잔치에 초대되어 친구네 집에 가야 해요. 어떤 코딩 명령에 따라 가야 할지 골라 ○표를 하세요.

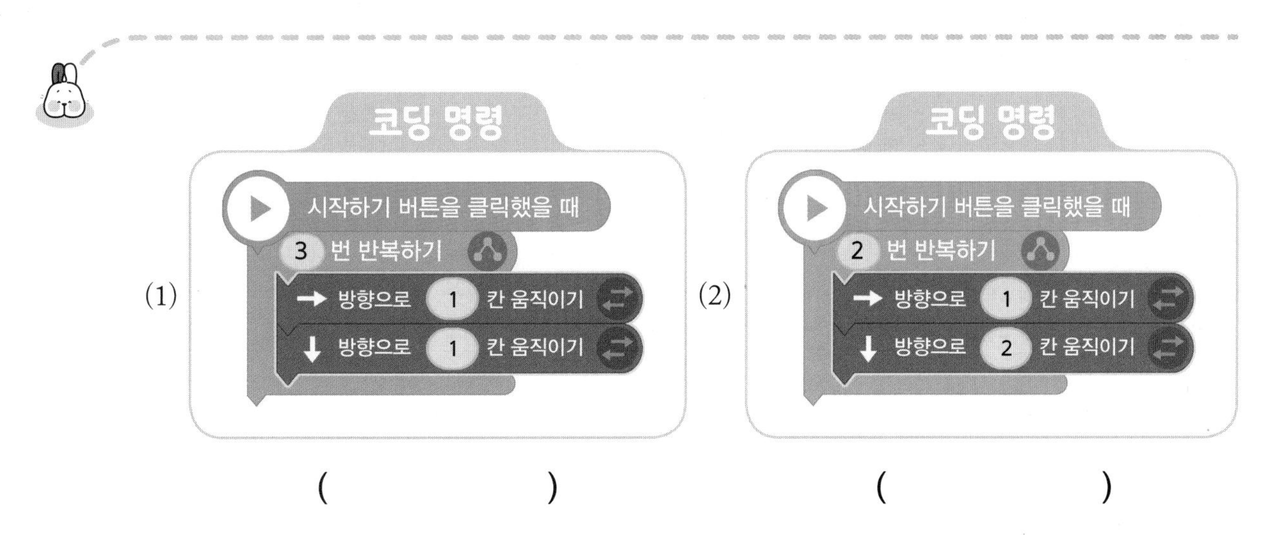

( ) ( )

코딩 **코딩 명령에 따라 이동하는 방법**을 알아보며 알맞은 코딩 명령을 골라 봅니다.

다음 초대하는 쪽지를 보고, 연극 발표회가 시작하는 시각과 끝나는 시각을 각각 시계에 표시해 보세요.

부모님께

우리 반 연극 발표회에 초대합니다.
열심히 연습했으니 꼭 오셔서 즐겁게 봐 주세요.

✤ 언제: ○○월 ○○일 오후 1시 ~ 2시
✤ 어디에서: 천재초등학교 1학년 2반 교실

○○○ 올림

(1) 시작하는 시각

(2) 끝나는 시각

융합 국어+수학

초대하는 쪽지에 들어가는 내용을 살펴보고, **시계에 시각**을 그려 봅니다.

▶정답 및 해설 21쪽

◉ 다음은 학교에서 있었던 일에 대해 친구가 사과하는 쪽지를 쓴 것입니다. 어떤 말로 사과하는 쪽지를 써야 하는지 그림에 맞는 글자를 찾아 써 보세요.

그림						
나타내는 글자	미	고	안	마	해	워

→ 정화야, 쉬는 시간에 복도에서 뛰어다니다가 네 어깨를 쳐서 ☐☐☐.

창의 사과하는 쪽지에 들어가는 **미안한 마음을 표현하는 말**에 대해 알아봅니다.

3주 누구나 100점 테스트

1 **다음은 무엇에 대한 설명인지 빈칸에 들어갈 말을 골라 ○표를 하세요.**

> 전하고자 하는 내용의 글을 종이에 간단하게 쓰는 것을 [ ][ ] 쓰기라고 한다.

(1) 일기 (　　　)
(2) 쪽지 (　　　)

2 **다음은 어떤 종류의 쪽지 쓰기인지 빈칸에 알맞은 말을 쓰세요.**

> 기찬아!
> 목요일 3시에 우리 집에서 내 생일잔치를 하는데 너를 초대하고 싶어.
> 엄마께서 맛있는 음식도 해 준다고 하시니까 꼭 와서 함께 먹었으면 좋겠어.
> 달래가

[ ][ ]하는 쪽지 쓰기

3 **다음 표현은 어떤 쪽지에 들어가면 좋을지 각각 선으로 이으세요.**

(1) 내일 우리 집에 초대할게. • 　　　 • ① 사과하는 쪽지

(2) 차례를 지키지 않아서 미안해. • 　　　 • ② 초대하는 쪽지

4 **다음 그림을 보고, 사과하는 쪽지에 들어갈 미안한 마음을 가장 잘 표현한 친구는 누구인지 쓰세요.**

> **희수**: 발을 밟아서 미안해.
> **서윤**: 앞을 좀 잘 보고 다녀.
> **수혁**: 너 때문에 나도 다칠 뻔했잖아.

(　　　　　　　)

글쓰기

5 **다음 사과하는 쪽지의 빈칸에 들어갈 알맞은 말을 골라 따라 쓰세요.**

> 아래층 할머니께
> 집 안에서 쿵쿵 뛰어다녀서 정말 [ ][ ][ ][ ][ ].
> 앞으로는 조심히 걷겠습니다.
> 위층에 사는 지수 올림

죄송합니다
사랑합니다

▶정답 및 해설 22쪽

6 다음 쪽지에는 어떤 마음이 담겨 있는지 보기 에서 골라 쓰세요.

> 여우야,
> 음식을 빨대로 먹으니까 정말 편했어.
> 나를 배려해 줘서 정말 고마워.
> 두루미가

보기

화난 마음 | 미안한 마음 | 슬픈 마음 | 고마운 마음

( )

7 다음 그림을 보고, 고마움을 표현하는 쪽지를 바르게 쓴 것에 ○표를 하세요.

(1) 내가 다쳤을 때 가방을 대신 들어 주어서 정말 고마워! 잊지 않을게. ( )

(2) 너는 운동을 매일 잊지 않고 하는구나. 나도 너처럼 꾸준히 운동을 해야겠어. ( )

글쓰기

8 다음 칭찬하는 쪽지의 빈칸에 알맞은 말을 보기 에서 골라 쓰세요.

보기

연주 | 공부 | 인사

지수야, 너는 참 ☐☐를 잘하는구나. 나도 너의 그런 점을 본받고 싶어.

9 다음 그림을 보고, 친구에게 칭찬하는 쪽지를 쓸 때 들어갈 말을 바르게 말한 친구의 이름을 쓰세요.

지헌: 너는 춤을 정말 잘 추는구나.
동권: 너는 글씨를 정말 예쁘게 쓰는구나.

( )

10 문자 메시지를 쓰는 방법에 알맞으면 ○표를, 알맞지 않으면 ×표를 하세요.

(1) 줄임 말을 많이 사용한다. ( )

(2) 자신이 하고 싶은 말을 정확하고 간단히 쓴다. ( )

4주 이번 주에는 무엇을 공부할까? ①

4주

그림일기를 써 보자!

- 1일 그림일기에 쓸 내용 고르기
- 2일 날씨를 나타내는 말 쓰기
- 3일 기억에 남는 일 쓰기
- 4일 생각이나 느낌 쓰기
- 5일 그림일기 쓰기

4주 이번 주에는 무엇을 공부할까? ❷

1-1 그림일기를 쓸 때 들어갈 내용으로 알맞지 않은 것을 골라 ×표를 하세요.

(1) 날씨 ( )

(2) 날짜와 요일 ( )

(3) 생각이나 느낌 ( )

(4) 기억에 남지 않는 일 ( )

1-2 다음 그림일기의 ㉠ 안에 들어갈 내용으로 알맞은 것을 골라 따라 쓰세요.

20◯◯년 9월 17일 금요일	㉠ : 바람이 휘 부는 날

	지	훈	이	가		교	실	에	서
공	으	로		장	난	을		쳤	다.
위	험	하	다	고		해	도		자
꾸		했	다	.	지	훈	이	가	
내		말	을		들	어	줬	으	면
좋	겠	다	.						

날 씨

날 짜

요 일

▶정답 및 해설 23쪽

2-1 그림일기를 쓸 때 가장 먼저 해야 할 일을 골라 기호를 쓰세요.

㉮ 기억에 남는 일을 고른다.
㉯ 날짜와 요일, 날씨를 쓴다.
㉰ 하루 동안에 겪은 일을 떠올린다.
㉱ 그림을 그리고 기억에 남는 일과 생각이나 느낌을 쓴다.

(　　　　　　)

4주

2-2 다음은 그림일기를 쓰는 차례 중 어떤 차례에 해당하는지 빈칸에 알맞은 말을 보기에서 골라 쓰세요.

보기

남는	겪은	없는

오늘 겪은 일 중에 낮에 놀이터에서 줄넘기 연습을 한 일이 가장 기억에 남아. 다가오는 체육 대회에 줄넘기 대표 선수로 나가게 되어서 열심히 연습했기 때문이야. 이 일을 그림일기로 써야지.

기억에 [　][　] 일을 고른다.

1일 그림일기에 쓸 내용 고르기

그림일기에 쓸 내용을 골라라!

그림일기는 오늘 있었던 일과 그 일에 대한 생각이나 느낌을 그림과 함께 쓴 일기예요.
그림일기에는 날짜와 요일, 날씨, 그림, 기억에 남는 일, 생각이나 느낌이 들어가요.
그림일기를 쓸 때에는 먼저 하루 일을 떠올리고 기억에 남는 한 가지 일을 골라야 해요.
오래 기억하고 싶은 일이나 특별한 생각이나 느낌이 들었던 일을 골라 보아요.

▶정답 및 해설 23쪽

◎ 그림일기에 쓸 내용을 고르는 방법에 맞게 빈칸에 알맞은 말을 쓰고, 그 말을 퍼즐판에서 찾아 ◯표를 하세요.

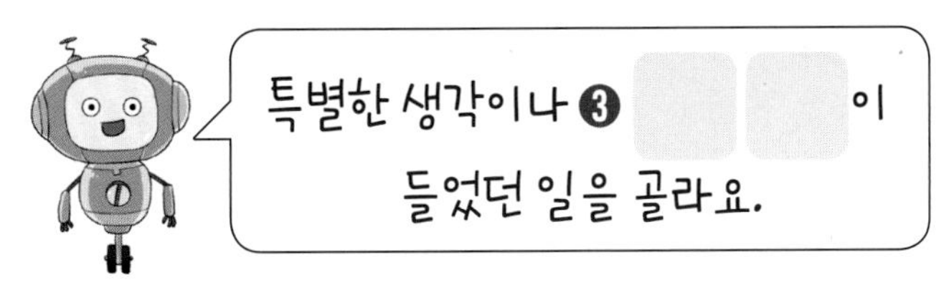

1일 그림일기에 쓸 내용 고르기

◉ 다음 달래가 떠올린 내용을 보고, 달래가 그림일기에 쓸 내용을 골라 보세요.

오늘 겪은 일 중에 낮에 놀이터에서 줄넘기 연습을 한 일이 가장 기억에 남아. 다가오는 체육 대회에 줄넘기 대표 선수로 나가게 되어서 열심히 연습했기 때문이야. 이 일을 그림일기로 써야지.

어휘 풀이

▼ **체육 대회**|몸 체 體, 기를 육 育, 큰 대 大, 모일 회 會| 규모가 큰 운동회.

예 주말에 동네 사람들이 모두 참여하는 체육 대회가 열린다.

▼ **대표 선수**|대신할 대 代, 겉 표 表, 가릴 선 選, 손 수 手| 국가나 단체를 대표하는 선수.

예 올림픽에서 우리나라 대표 선수가 금메달을 땄다.

▶ 정답 및 해설 23쪽

낱말 쓰기

1단계 달래는 언제, 어디에서, 무엇을 한 일이 기억에 남았는지 빈칸에 알맞은 낱말을 보기 에서 각각 골라 쓰세요.

보기

박물관 놀이터 줄넘기 널뛰기

(1) 낮에 ☐☐☐ 에서 있었던 일이다.

(2) ☐☐☐ 를 열심히 연습했다.

4주

문장 쓰기

2단계 1에서 있었던 일을 한 문장으로 정리하여 쓰세요.

낮에 ______ 에서 ______ 를 열심히 ______ 했다.

한 편 쓰기

3단계 2에서 쓴 문장을 넣어 달래가 어떤 일을 그림일기에 쓸 내용으로 골랐을지 쓰세요.

____

______________________ 한 일을 그림일기에 써야겠어.

▶ 정답 및 해설 23쪽

1 따라 쓰기

잘 듣고, 따라 쓰세요.

❶ 이 를 V 닦 았 다 .

❷ 숙 제 를 V 했 다 .

2 낱말 받아쓰기

잘 듣고, 빈칸에 알맞은 낱말을 받아쓰세요.

❶ 아침에 [ ][ ] 에서 조개를 주웠다.

❷ 낮에 바닷가에서 모래성을 [ ][ ][ ].

3 문장 받아쓰기

잘 듣고, 그림에 알맞은 문장을 받아쓰세요.

좋 아 하 는 V [ ][ ][ ] V

[ ][ ][ ][ ][ ][ ][ ][ ][ ][ ]

똑똑한

하루 글쓰기 마무리

내 생각 쓰기로 하루 마무리

▶정답 및 해설 23쪽

◉ 다음 그림의 친구들은 어떤 일이 기억에 남았을지 보기 에서 각각 골라 문장을 쓰세요.

보기

- 저녁에 집에서 과자를 만든 일
- 늦은 밤에 산에서 길을 잃은 일
- 낮에 밭에서 감자를 캔 일

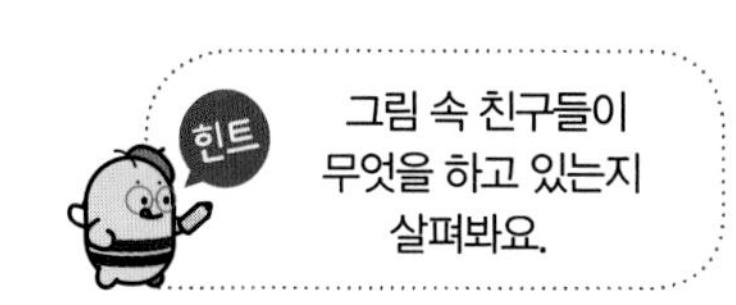

❶ 

❷ 

❸ 

V V

V V V

이 V 기 억 에 V 남

는 다 .

4 주

2일 날씨를 나타내는 말 쓰기

그림일기 첫 부분에 날씨를 나타내는 말을 써라!

그림일기에는 날씨가 어떠한지 써야 해요.
날씨를 쓸 때에는 그날그날의 온도나,
공기 중에 비, 구름, 바람, 안개 등이 나타나는 상태에 대해 쓸 수 있어요.
그리고 날씨를 사람처럼 나타낼 수도 있어요.

똑똑한 하루 글쓰기 미리 보기

▶정답 및 해설 24쪽

사다리 타기를 하여 도착한 곳의 낱말을 따라 쓰며, 그림일기에 날씨를 나타내는 말을 쓰는 방법을 알아보아요.

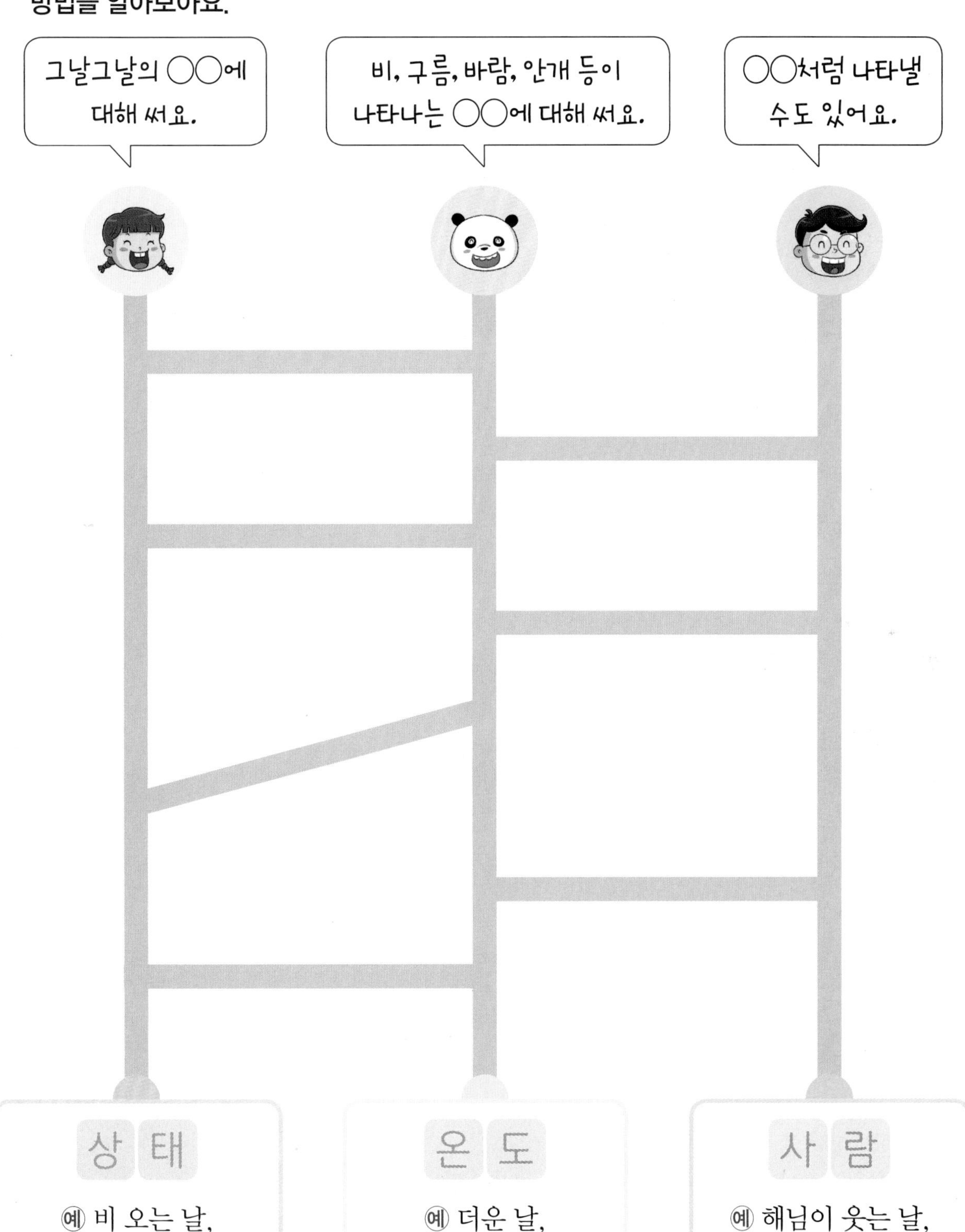

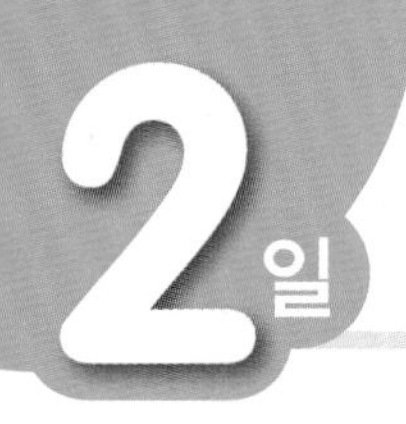

날씨를 나타내는 말 쓰기

● 다음 그림을 보고, 그림일기에 날씨를 나타내는 말을 쓰세요.

오늘은 무지개가 떴어요. 무지개를 처음 보아서 설레는 마음이 들었어요.

오늘은 보름달이 환하게 떴어요. 가족들과 함께 강강술래를 해서 즐거웠어요.

어휘 풀이

▼ **설레는** 마음이 가라앉지 않고 들떠서 두근거리는.

㉠ 내일은 운동회를 하는 날이라서 설레는 마음이 들었다.

▼ **강강술래** 여러 사람이 함께 손을 잡고 원을 그리며 빙빙 돌면서 춤을 추고 노래를 부르는 놀이.

㉠ 정월 대보름날에는 강강술래를 한다.

▶ 정답 및 해설 24쪽

낱말 쓰기

1 단계 다음 사진을 보고, 날씨를 나타내는 알맞은 낱말을 보기 에서 골라 빈칸에 각각 쓰세요.

보기

보름달　　무지개

(1) 하늘에 ☐☐☐ 가 뜬 날　　(2) ☐☐☐ 이 환하게 웃는 날

문장 쓰기

2 단계 1 에서 쓴 내용을 넣어 그림일기에 날씨를 나타내는 말을 각각 쓰세요.

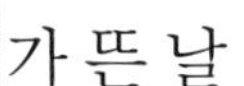

(1)

날짜: 20○○년 5월 10일 목요일

날씨:

오늘 무지개를 보았다. 처음 보는 것이라서 그런지 설레는 마음이 들었다.

(2)

날짜: 20○○년 10월 2일 화요일

날씨:

오늘은 보름달이 떴다. 환하게 웃는 것처럼 보이는 보름달 아래에서 가족들과 강강술래를 했다. 함께 손을 잡고 원을 그리며 빙빙 돌고 나니 정말 즐거웠다.

받아쓰기 듣기

▶ 정답 및 해설 24쪽

1 따라 쓰기

잘 듣고, 따라 쓰세요.

❶ 무지개가 V 떴어요.

❷ 보름달이 V 떴어요.

2 낱말 받아쓰기

잘 듣고, 빈칸에 알맞은 낱말을 받아쓰세요.

❶ [ ] 가 부슬부슬 오는 날

❷ 차가운 [ ] 이 쌩쌩 부는 날

3 문장 받아쓰기

잘 듣고, 사진에 알맞은 문장을 받아쓰세요.

구름 V [ ] V [ ] V [ ] V

[ ] V [ ]

똑똑한 하루 글쓰기 마무리

내 생각 쓰기로 하루 마무리

▶정답 및 해설 24쪽

● 다음 사진을 보고, 보기 의 두 가지 낱말을 모두 사용해서 친구가 쓴 문장 과 같이 날씨를 나타내는 말을 각각 쓰세요.

4주

기억에 남는 일 쓰기

특별히 기억에 남는 일을 써라!

그림일기를 쓸 때에는 하루 동안에 있었던 일 중 기억에 남는 일을 써야 해요.

하루 동안에 있었던 일을 날마다 하는 일과 가끔 하는 일로 나누어

그중에서 더 기억에 남는 일은 무엇인지 생각해 보아요.

기억에 남는 일을 쓸 때에는 언제, 어디에서, 무엇을 겪었는지 잘 드러나게 써야 해요.

▶ 정답 및 해설 25쪽

● 그림에 맞는 퍼즐 모양을 찾아 선으로 잇고, 기억에 남는 일을 쓰는 방법을 알아보아요.

기억에 남는 일을 쓰는 방법을 생각하며 문장을 따라 쓰세요.

	비	V	오	는	V	날	V	한	V
우	산	V	아	래	에	서	V	친	구
와	V	얘	기	를	V	나	눴	어	요

.

3일 기억에 남는 일 쓰기

● 다음 대화를 읽고, 현준이가 기억에 남았던 일은 무엇인지 쓰세요.

어휘 풀이

- **오후**|낮 오 午, 뒤 후 後| 정오부터 해가 질 때까지의 동안. ㉠ 오후에 저녁을 먹기로 했다.
- **당황**|당나라 당 唐, 어렴풋할 황 慌|**한** 놀라거나 다급하여 어찌할 바를 몰라 하는 데가 있는.
  ㉠ 숙제가 오늘까지인 것을 알게 된 친구는 당황한 표정을 지었다.
- **간직** 생각이나 기억 따위를 마음속에 깊이 새겨 둠. ㉠ 친구가 해 준 말을 오래 간직하고 싶다.

▶정답 및 해설 25쪽

낱말 쓰기

다음 그림을 보고, 어떤 일이 있었는지 빈칸에 알맞은 낱말을 보기 에서 각각 골라 쓰세요.

보기

비 눈 우산 가방

(1) 오후에 갑자기 ☐ 가 내렸다.

(2) 집에 오는 길에 친구와 ☐☐ 을 같이 썼다.

문장 쓰기

1 에서 있었던 일을 한 문장으로 정리하여 쓰세요.

오후에 갑자기 ☐ 가 내려서 집에 오는 길에 친구와 ☐☐☐☐ ☐☐☐.

한 편 쓰기

2 에서 쓴 문장을 넣어 기억에 남는 일을 쓰세요.

▶정답 및 해설 25쪽

1 따라 쓰기

잘 듣고, 따라 쓰세요.

❶ 갑자기 V 비가 V 왔다.

❷ 당황한 V 친구

2 낱말 받아쓰기

잘 듣고, 빈칸에 알맞은 낱말을 받아쓰세요.

❶ 장난감을 [ ][ ][ ][ ][ ].

❷ 운동장에서 [ ][ ][ ][ ][ ].

3 문장 받아쓰기

잘 듣고, 그림에 알맞은 문장을 받아쓰세요.

			V					V	
	V			V					

똑똑한 하루 글쓰기 마무리

내 생각 쓰기로 하루 마무리

▶ 정답 및 해설 25쪽

● 다음 그림일기를 보고, 보기 의 말을 모두 넣어 기억에 남는 일을 각각 쓰세요.

20○○년 4월 8일 수요일	날씨: 맑지만 추움

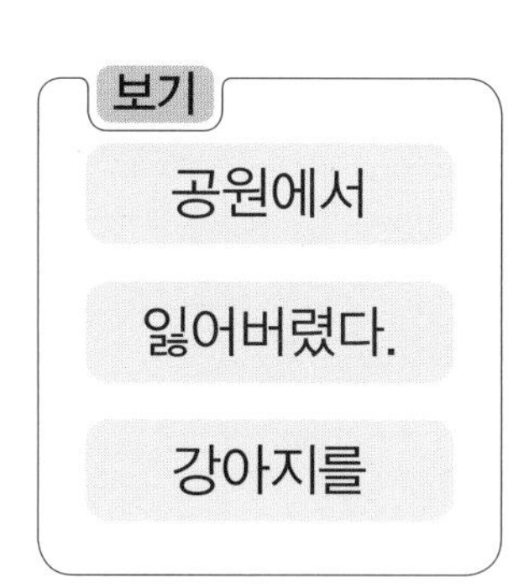

❶

					V				
						강	아	지	를
잃	어	버	려	서	V	슬	펐	다	.

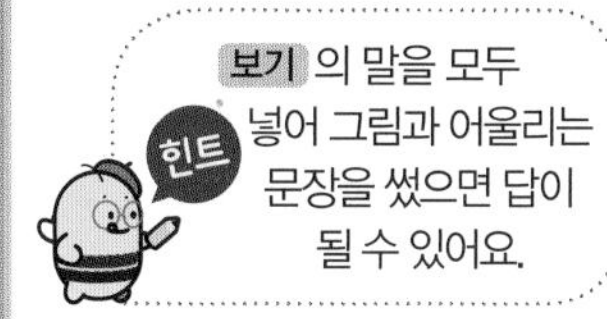

20○○년 5월 5일 토요일	날씨: 해가 쨍쨍

❷

					V				
		V					자	전	거
가	V	생	겨	서	V	기	뻤	다	.

4주

4일 생각이나 느낌 쓰기

있었던 일에 대한 생각이나 느낌을 써라!

그림일기에는 기억에 남는 일에 대한 생각이나 느낌을 써야 해요.
'아쉽다, 신나다, 속상하다, 좋아하다' 등 생각이나 느낌을 나타내는 표현을 알아 두고 그 일을 겪었을 때 생각하거나 느낀 것을 자세하고 솔직하게 쓰는 것이 중요해요.

▶ 정답 및 해설 26쪽

● 사다리 타기를 하여 도착한 곳의 낱말을 따라 쓰며, 기억에 남는 일에 대한 생각이나 느낌을 쓰는 방법을 알아보아요.

생각이나 느낌을 나타내는 ○○을 알아 두어요.

생각이나 느낌을 간단히 쓰지 말고 ○○하게 써요.

생각이나 느낌을 거짓 없이 ○○하게 써요.

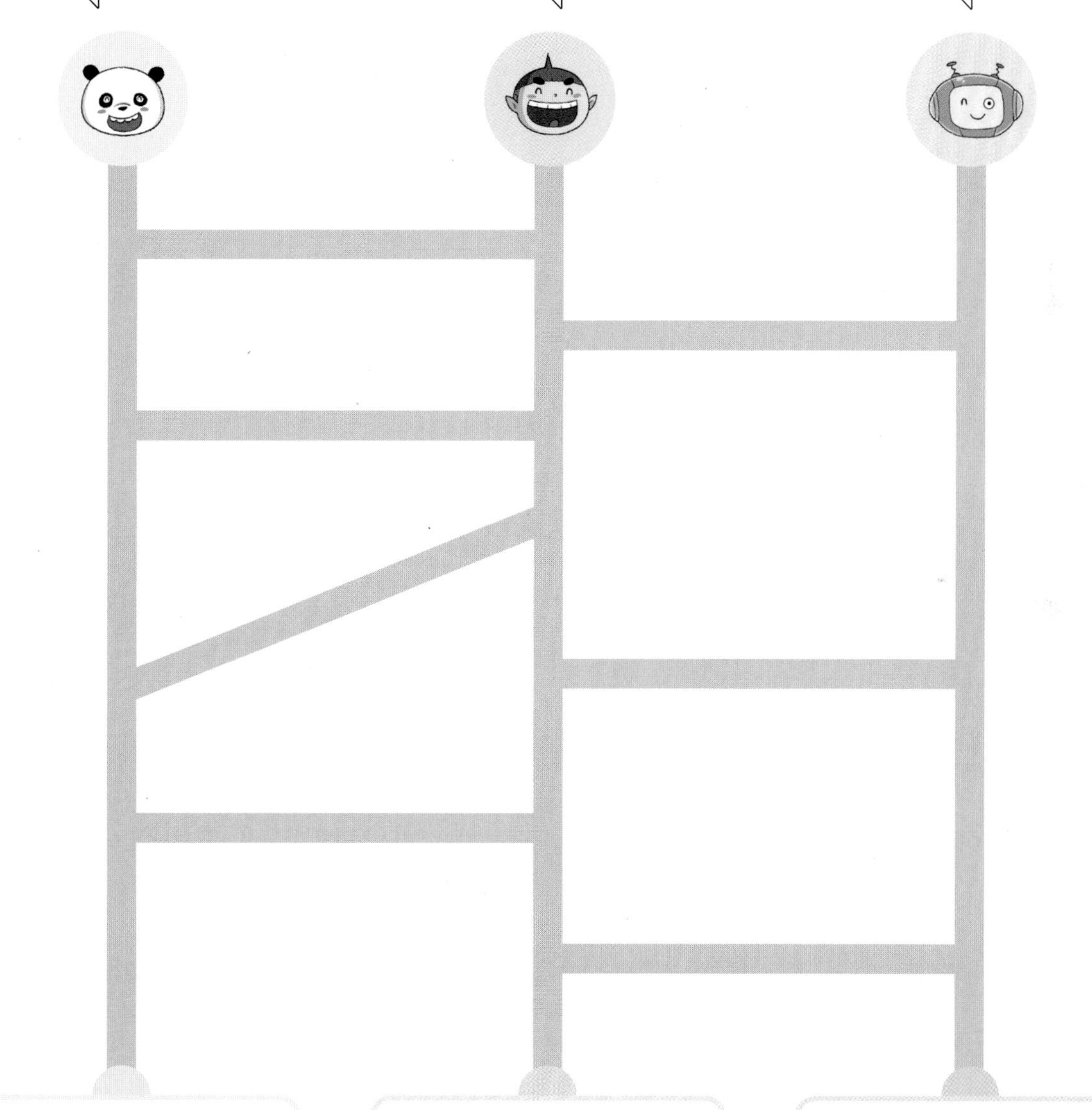

표 현

㉠ 동굴은 신기하기도 했지만 깜깜해서 무섭기도 했다.

솔 직

㉠ 아무렇지 않은 척했지만 사실 나도 헤어지기 아쉬웠다.

자 세

㉠ 오늘 갈 소풍 생각에 잠시도 앉아 있지 못할 만큼 설렜다.

생각이나 느낌 쓰기

● 다음 그림을 보고, 기억에 남는 일에 대한 생각이나 느낌을 쓰세요.

글감 가족과 함께 동물원으로 소풍을 간 일

도시락을 준비하며 ▾이따가 동물원에 갈 일을 생각하니 매우 ▾기대되었다.

동물원에 가서 책에서만 보았던 동물을 직접 보았다.

잔디밭에서 준비해 온 도시락을 먹으니 정말 맛있었다.

가족과 함께 튤립 꽃밭에서 사진을 찍어서 기분이 좋았다.

어휘 풀이

▾ **이따가** 조금 지난 뒤에. ㉠ 친구와 이따가 다시 전화하기로 했다.

▾ **기대**|기약할 기 期, 기다릴 대 待| 어떤 일이 원하는 대로 이루어지기를 바라면서 기다림.
㉠ 생일 선물로 무엇을 받을지 기대되었다.

▶ 정답 및 해설 26쪽

낱말 쓰기

기억에 남는 일과 그 일에 대한 생각이나 느낌을 떠올려 빈칸에 알맞은 낱말을 보기 에서 각각 골라 쓰세요.

보기

달	책	부러웠다	신기했다

(1) 동물원에 가서 ☐ 에서만 보았던 동물을 직접 보았다.

(2) 정말 ☐☐☐☐.

문장 쓰기

1 에서 완성한 문장을 한 문장으로 정리하여 쓰세요.

동물원에 가서 ☐☐☐☐ 보았던 동물을 직접 보니 ☐☐
☐☐☐☐.

한 편 쓰기

2 에서 완성한 문장을 넣어 기억에 남는 일에 대한 생각이나 느낌을 쓰세요.

	동	물	원	에	V	가	서	V	
			V				V		
	V			V			V		

V

4 주

4일 똑똑한 **하루 글쓰기** 받아쓰기

▶ 정답 및 해설 26쪽

1 따라 쓰기

잘 듣고, 따라 쓰세요.

❶ 매 우 V 기 대 되 었 다 .

❷ 정 말 V 맛 있 었 다 .

2 낱말 받아쓰기

잘 듣고, 빈칸에 알맞은 낱말을 받아쓰세요.

❶ 친구가 갑자기 나타나서 깜짝 [ ][ ][ ].

❷ 상을 탄 친구가 [ ][ ][ ][ ].

3 문장 받아쓰기

잘 듣고, 그림에 알맞은 문장을 받아쓰세요.

선 생 님 께 V [ ][ ][ ] V

[ ][ ][ ] V [ ][ ][ ][ ][ ]

▶정답 및 해설 26쪽

◎ 기억에 남는 일에 대한 생각이나 느낌으로 알맞은 말을 보기 에서 각각 골라 써넣어 그림일기를 완성하세요.

신바람이 났다.	속상해서
재미가 있었다.	아쉬워서
기분이 좋았다.	짜증 나서

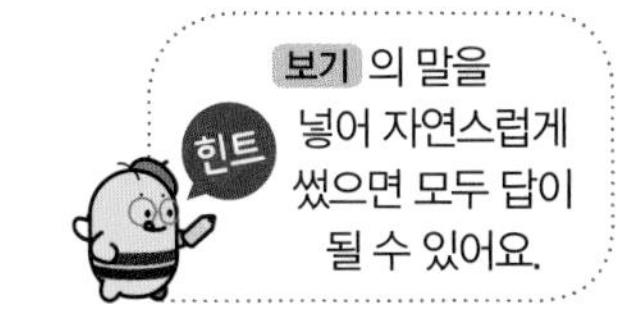

20○○년 11월 12일 수요일	날씨: 회색 옷을 입은 구름이 가득한 날

	점	심	시	간	에		친	구	들
과		공	기	놀	이	를		했	다.
처	음	에	는		내	가		이	겨
서		❶							
그	런	데		결	국	에	는		내
가		졌	다	.	❷				
입	을		삐	죽	였	다	.		

5일 그림일기 쓰기

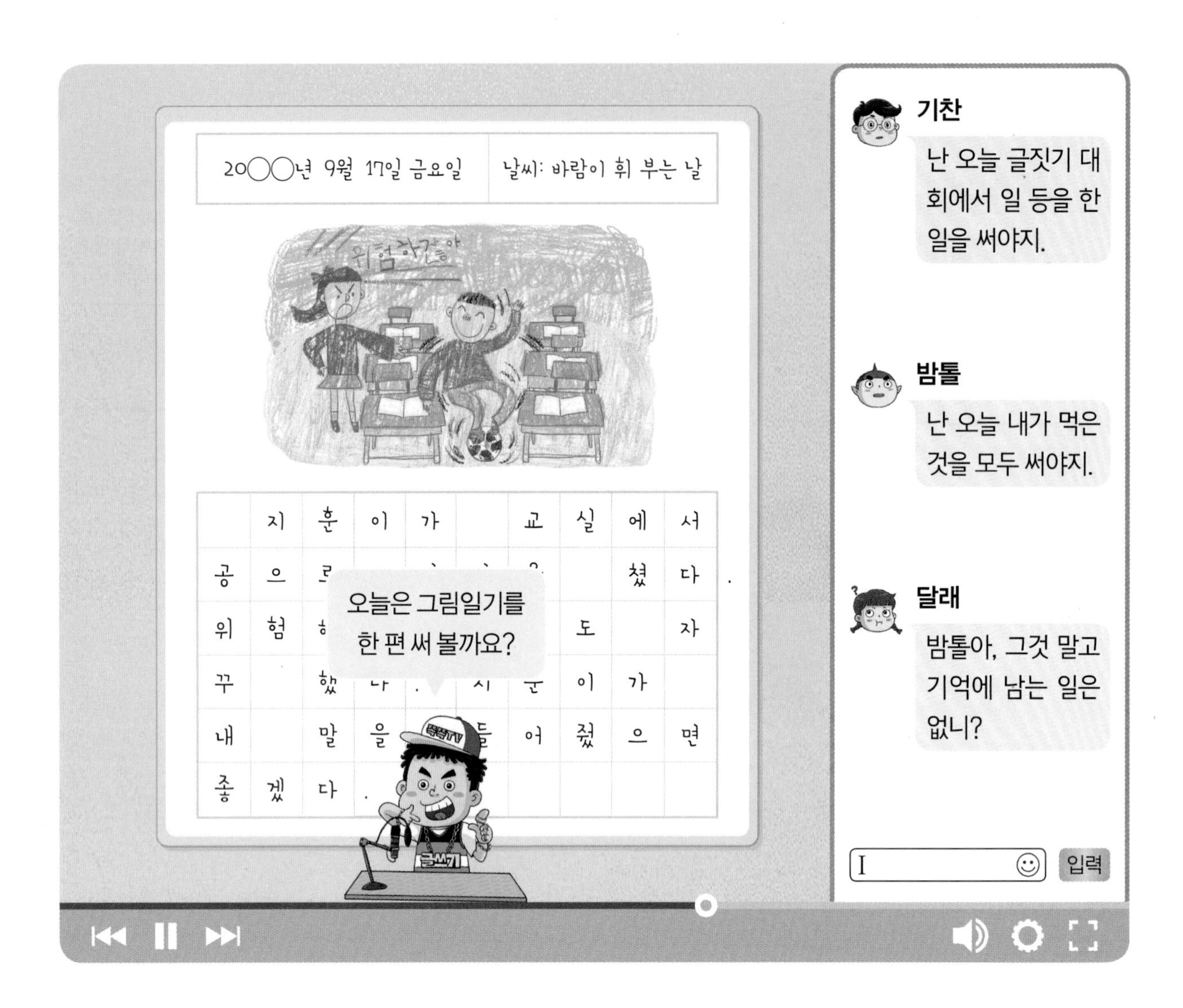

그림일기를 쓰는 차례에 따라 그림일기를 쓰자!

그림일기를 쓸 때에는 먼저 하루 동안에 겪은 일을 떠올려요.
그리고 그중에 기억에 남는 일을 골라 보아요.
그런 다음 그림일기에 날짜와 요일, 날씨를 쓰고 나서,
그림을 그리고 기억에 남는 일과 그에 대한 생각이나 느낌을 쓰면 된답니다.

똑똑한 하루 글쓰기 미리 보기

▶정답 및 해설 27쪽

◉ 그림일기를 쓰는 방법에 맞게 빈칸에 알맞은 말을 쓰고 퍼즐판에서 찾아 ○표를 하세요.

먼저 하루 동안에 겪은 일을 떠올리고, 그중에 ❶ ☐☐ 에 남는 일을 골라요.

그림일기에 날짜와 요일, ❷ ☐☐ 를 써요.

글	하	은	루
생	날	씨	겪
기	억	일	그
낌	느	각	림

❸ ☐☐ 을 그리고 기억에 남는 일과 그에 대한 생각이나 느낌을 써요.

5일 그림일기 쓰기

◎ 다음 만화를 읽고, 그림일기에 들어갈 내용을 쓰세요.

어휘 풀이

▼ **오전**|낮 오 午, 앞 전 前| 밤 열두 시부터 낮 열두 시까지의 시간. ㉠ 오늘은 오전 열한 시에 수업이 끝난다.

▼ **당번**|마땅할 당 當, 차례 번 番| 어떤 일을 책임지고 돌보는 차례가 됨. 또는 그 차례가 된 사람.
㉠ 네가 내일 설거지 당번이다.

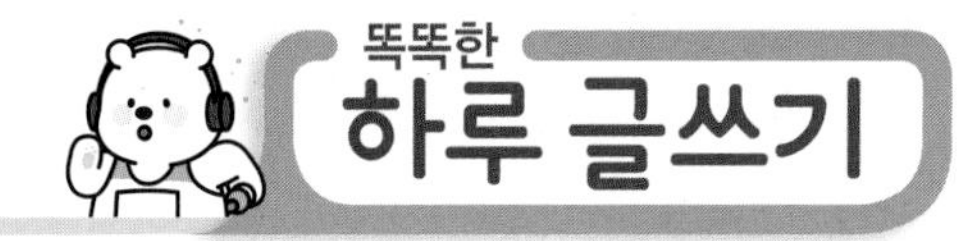

▶정답 및 해설 27쪽

낱말 쓰기

1단계 준서가 그림일기를 쓰려는 날의 날씨로 알맞은 말을 보기 에서 골라 쓰세요.

보기

살랑 　 쨍쨍 　 꽁꽁

20○○년 4월 16일 화요일	날씨: 해가 □□

문장 쓰기

2단계 다음은 준서가 그림일기를 쓰기 위해 떠올린 기억에 남는 일입니다. 빈칸에 알맞은 말을 쓰세요.

	저	녁	에	V				V	
		V			V	드	렸	다	.

한 편 쓰기

3단계 2에서 답한 일에 대한 생각이나 느낌으로 알맞은 말을 보기 에서 골라 쓰세요.

보기

도움이 되어 뿌듯했다. 　 서운한 마음이 들었다.

	아	버	지	께					

4주

5일 똑똑한 하루 글쓰기 받아쓰기

▶정답 및 해설 27쪽

1 따라 쓰기

잘 듣고, 따라 쓰세요.

❶ 오늘은 V 해가 V 쨍쨍

❷ 학교에 V 같이 V 가자.

2 낱말 받아쓰기

잘 듣고, 빈칸에 알맞은 낱말을 받아쓰세요.

❶ 체육 대회에서 우리 편이 상을 □□□.

❷ 우리 편이 정말 □□□□□□.

3 문장 받아쓰기

잘 듣고, 그림에 알맞은 문장을 받아쓰세요.

아버지와 V □□□□ V

□□ V □□ V □□□

똑똑한 하루 글쓰기 마무리

내 생각 쓰기로 하루 마무리

▶ 정답 및 해설 27쪽

● 다음 그림일기를 보고, 빈칸에 들어갈 알맞은 말을 보기 에서 각각 골라 그림일기를 완성하세요.

보기

흐림	구름이 많은 날
열심히 도와드렸다.	감사하다고 말했다.
날아갈 듯 기뻤다.	매우 뿌듯했다.

20○○년 2월 14일 목요일	날씨: ❶

	아	침	밥	을		준	비	하	시
는		어	머	니	를		보	고	
❷									
어	머	니	께	서		칭	찬	해	
주	셔	서		❸					

생활 어휘 다음 만화를 보며 '머리가 크다'라는 표현의 뜻을 알아보고, 상황에 맞게 써 보세요.

내 머리가 크다고?

▶정답 및 해설 28쪽

표현의 뜻을 알아봐요!

머리가 크다

이 말은 "어른처럼 생각하거나 판단하게 된다."라는 뜻으로 쓰이는 표현이랍니다.

이제 이 표현을 넣어 상황에 맞게 써 볼까요?

우리 형은 어른스러워서 " 머 리 가 크 다 "라는 말을 자주 듣는다.

4주

● 그림일기에 들어가는 내용을 알아보고, 아래 그림에서 그림일기에 들어가는 내용이 쓰인 부분을 모두 찾아 색칠해 보세요.

그림일기에 들어가는 내용

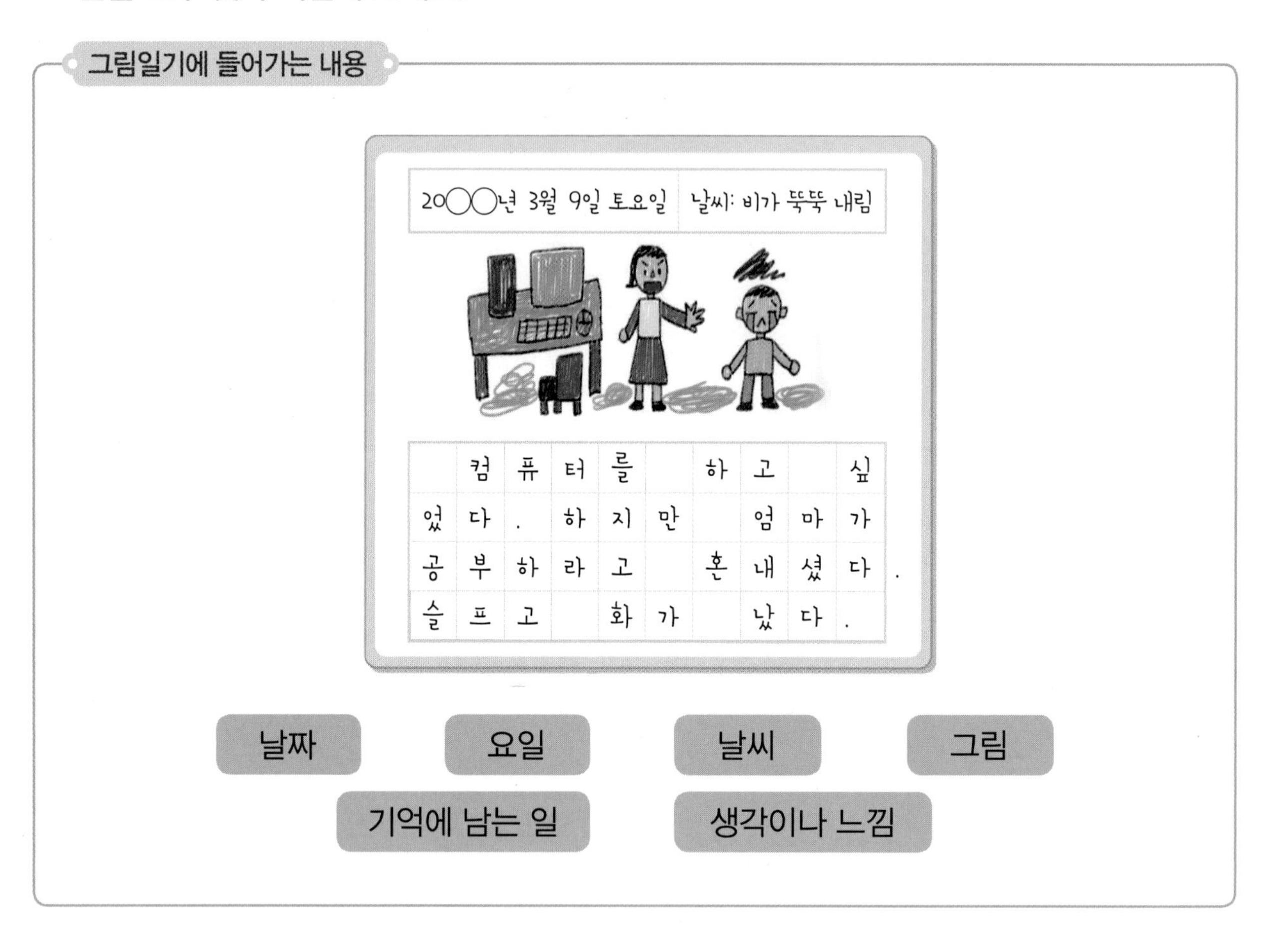

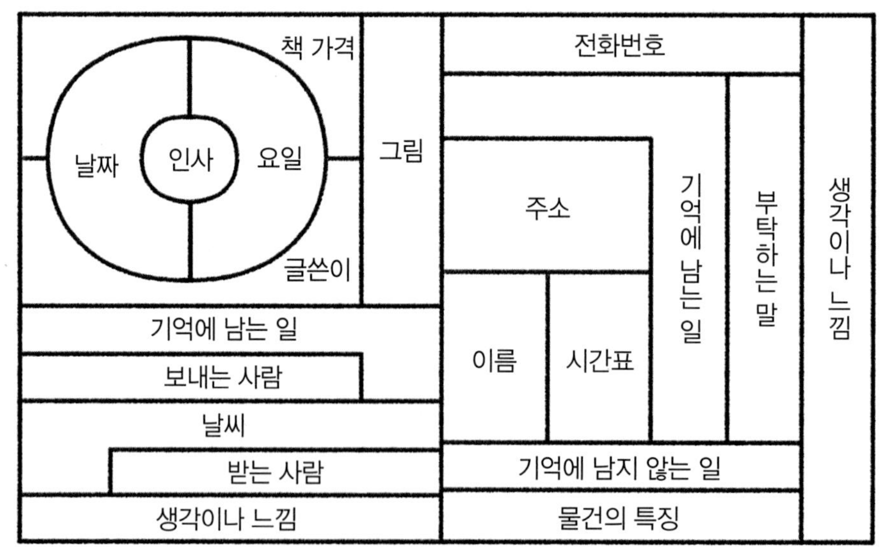

창의 **그림일기에 들어가는 내용**을 알아보고 색칠해 봅니다.

▶정답 및 해설 28쪽

다음 그림일기를 보고, 글쓴이가 오늘 줄넘기를 몇 번 넘었는지 숫자로 써 보세요.

20◯◯년 3월 15일 일요일	날씨: 바람이 솔솔 불어오는 날

놀이터에서 줄넘기 연습을 했다. 어제는 5번 넘었는데 오늘은 어제보다 4번 더 넘었다. 내일도 열심히 연습해야겠다.

글쓴이가 오늘 넘은 줄넘기 수는 어제 넘은 줄넘기 수 ☐번에 ☐번을 더해 ☐번이에요.

융합 국어+수학 글쓴이가 겪은 일이 무엇인지 알아보며 **한 자릿수 덧셈**을 해 봅니다.

◉ 다음 그림일기의 글을 읽고, 그림일기에 들어갈 그림으로 알맞은 것에 ○표를 하세요.

20○○년 1월 21일 월요일	날씨: 해님이 방긋

?

	오	늘		새		강	아	지	가
생	겼	다	.	나	보	다		작	아
서		내		동	생	처	럼		느
껴	졌	다	.	강	아	지	에	게	
잘	해		주	어	야	겠	다	.	

(1) (2) (3)

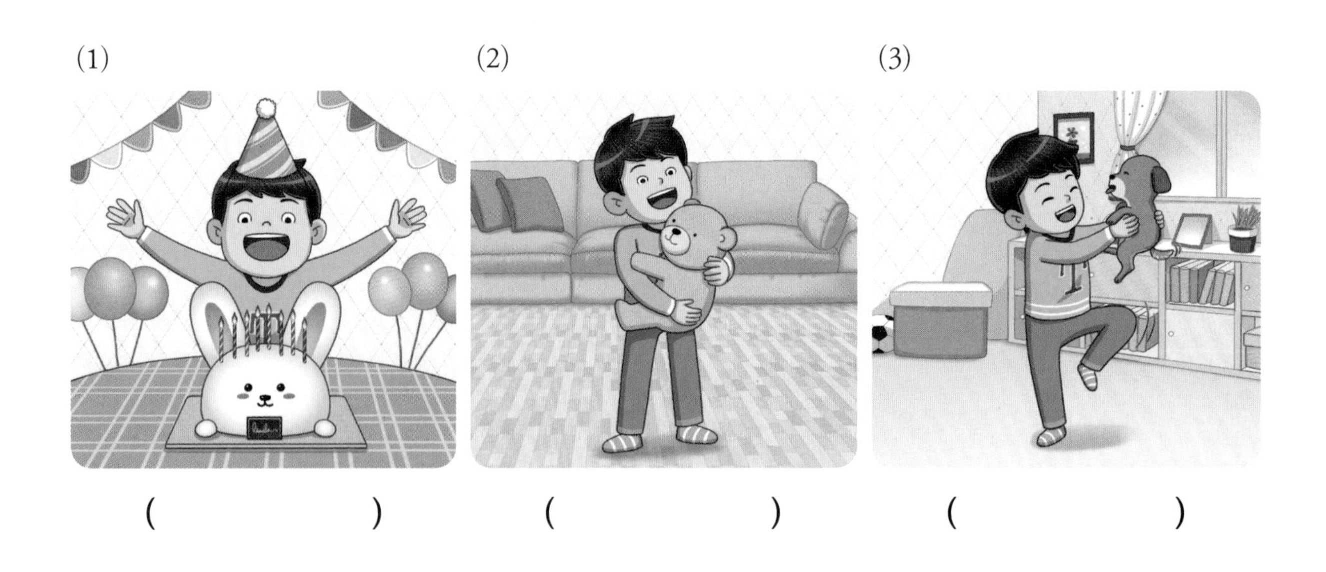

( ) ( ) ( )

창의 글쓴이가 기억에 남는 일과 그때의 생각이나 느낌을 생각하며 **그림일기에 어울리는 장면**을 찾아봅니다.

▶ 정답 및 해설 28쪽

다음 화살표 카드에 따라 차례대로 한 칸씩 이동하면 오늘의 날씨를 알 수 있어요. 그림일기의 날씨 부분에 오늘의 날씨를 찾아 써 보세요.

❶ 오른쪽

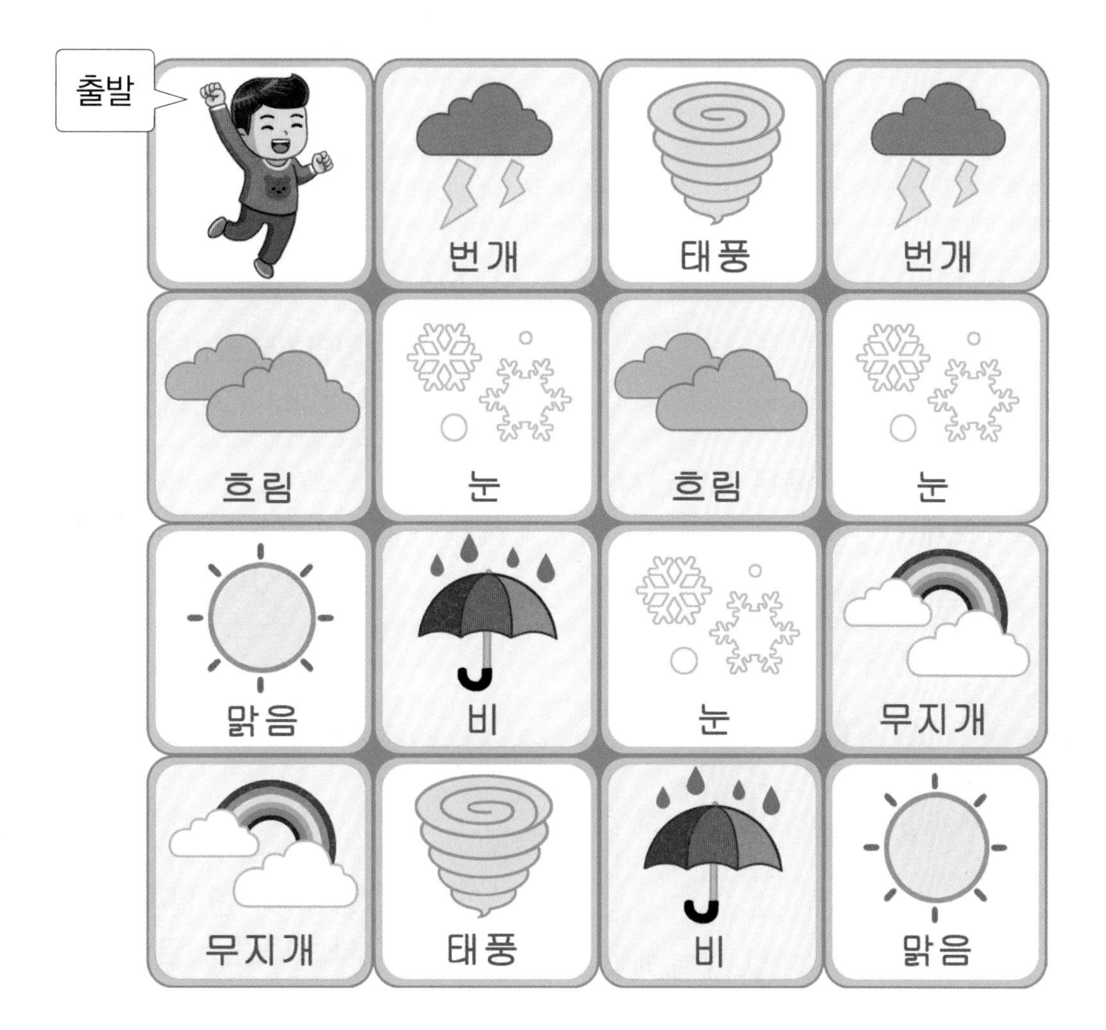

20◯◯년 12월 12일 목요일	날씨:

코딩 **화살표 카드의 방향과 순서**를 잘 생각하며 오늘의 날씨를 찾아봅니다.

4주 누구나 100점 테스트

1 그림일기를 쓸 때 마지막에 해야 할 일을 알맞게 말한 친구를 고르세요.

> **영수**: 하루 동안 겪은 일을 떠올려야 해.
> **진희**: 그림을 그리고 기억에 남는 일과 생각이나 느낌을 써야 해.

(　　　　　　)

2 다음 그림일기에서 빠진 내용은 무엇인지 보기 에서 골라 쓰세요.

20○○년 3월 9일 토요일	

	컴	퓨	터	를		하	고		싶
었	다	.	하	지	만		엄	마	가
공	부	하	라	고		혼	내	셨	다.
슬	프	고		화	가		났	다	.

보기
날짜　요일　날씨　그림
기억에 남는 일　생각이나 느낌

(　　　　　　)

3 달래가 그림일기에 쓸 일로 알맞은 것에 ○표를 하세요.

(1) 칫솔로 이를 닦은 일 (　　)
(2) 줄넘기 연습을 한 일 (　　)

4 다음은 그림일기를 쓰기 위해 기억에 남는 일을 떠올린 것입니다. 바르게 쓴 것을 골라 ○표를 하세요.

> 바닷가에서 모래성을
> (쌓았다 , 싸았다).

글쓰기

5 다음은 그림일기에 쓸 날씨를 재미있게 표현한 것입니다. 그림을 낱말로 바꿔 빈칸에 각각 쓰세요.

> (1) 화난 (번개 그림)가 소리치는 날
> (2) 하얀 (눈 그림)이 펑펑 내려온 날

(1) 화난 [ㅂ][ㄱ]가 소리치는 날

(2) 하얀 [ㄴ]이 펑펑 내려온 날

▶정답 및 해설 29쪽

[6~8] 다음 그림일기를 보고, 물음에 답하세요.

20○○년 11월 12일 수요일
날씨: 회색 옷을 입은 구름이 가득한 날

점심시간에 친구들과 공기놀이를 했다. 처음에는 내가 이겨서 신바람이 났다. 그런데 결국에는 내가 졌다.

6 이 그림일기에 나타난 날씨와 같은 날씨를 골라 ○표를 하세요.

맑음　흐림　비　바람

7 이 그림일기에 나타난 기억에 남는 일로 알맞은 것에 ○표를 하세요.

(1) 친구들과 실뜨기를 한 일 (　　　)
(2) 친구들과 공기놀이를 한 일 (　　　)

글쓰기

8 이 그림일기는 마지막에 생각이나 느낌 부분이 빠져 있습니다. 보기 에서 알맞은 낱말을 골라 문장을 완성하고 따라 쓰세요.

보기
속상해서　뿌듯해서

				V	입
을	V	삐	죽	였	다

.

글쓰기

9 보기 에서 알맞은 낱말을 골라 기억에 남는 일에 대한 생각이나 느낌을 완성해 보세요.

보기
기뻤다　화났다　슬펐다

아버지께 자전거를 선물 받았다. 자전거가 생겨서 □□□.

글쓰기

10 보기 에서 알맞은 낱말을 각각 골라 그림일기를 완성해 보세요.

보기
강강술래　술래잡기
지루했다　즐거웠다

20○○년 10월 2일 화요일
날씨: 보름달이 환하게 웃는 날

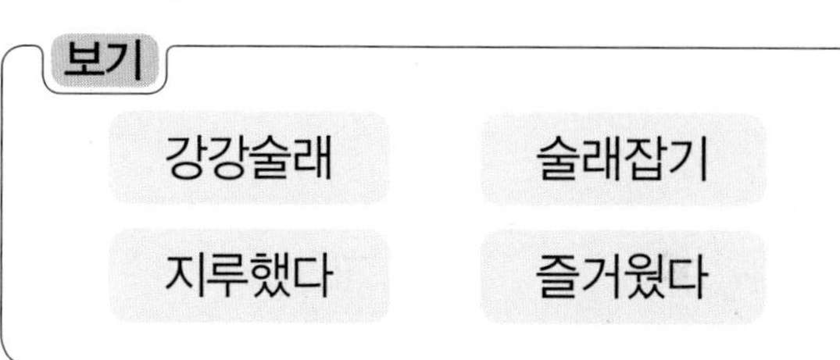

오늘은 보름달이 떴다. 환하게 웃는 것처럼 보이는 보름달 아래에서 가족들과 □□□□를 했다. 함께 손을 잡고 원을 그리며 빙빙 돌고 나니 정말 □□□□.

4주

똑똑한 하루 글쓰기 한권 끝!

글쓰기 공부 하느라 수고했어요.
교재를 꾸준히 잘 풀었는지 돌아보고 ○표를 하세요.

약속한 사람 ____________

첫째, 하루하루 빠짐없이 꾸준히 공부했나요?	예	아니요
둘째, 하루 글쓰기 문제를 끝까지 다 풀었나요?	예	아니요
셋째, 또박또박 바르게 글씨를 썼나요?	예	아니요

아쉽고 부족한 부분을 스스로 돌아보고,
다음 단계를 공부할 때에는 더 열심히 해 봐요!

앞선 생각으로
더 큰 미래를 제시하는 기업

서책형 교과서에서 디지털 교과서,
참고서를 넘어 빅데이터와 AI학습에 이르기까지
끝없는 변화와 혁신으로
대한민국 교육을 선도해 나갑니다.

천재교육 천재교과서

쉽다!

10분이면 하루치 공부를 마칠 수 있는 커리큘럼으로,
아이들이 초등 학습에 쉽고 재미있게 접근할 수 있도록
구성하였습니다.

재미있다!

교과서는 물론 생활 속에서 쉽게 접할 수 있는
다양한 소재와 재미있는 게임 형식의 문제로
흥미로운 학습이 가능합니다.

똑똑하다!

초등학생에게 꼭 필요한 학습 지식 습득은 물론
창의력 확장까지 가능한 교재로 올바른 공부습관을
가지는 데 도움을 줍니다.

과목	교재 구성	과목	교재 구성
하루 독해	예비초~6학년 각 A·B (14권)	하루 VOCA	3~6학년 각 A·B (8권)
하루 어휘	예비초~6학년 각 A·B (14권)	하루 Grammar	3~6학년 각 A·B (8권)
하루 글쓰기	예비초~6학년 각 A·B (14권)	하루 Reading	3~6학년 각 A·B (8권)
하루 한자	예비초: 예비초 A·B (2권) 1~6학년: 1A~4C (12권)	하루 Phonics	Starter A·B / 1A~3B (8권)
하루 수학	1~6학년 1·2학기 (12권)	하루 봄·여름·가을·겨울	1~2학년 각 2권 (8권)
하루 계산	예비초~6학년 각 A·B (14권)	하루 사회	3~6학년 1·2학기 (8권)
하루 도형	예비초~6학년 각 A·B (14권)	하루 과학	3~6학년 1·2학기 (8권)
하루 사고력	1~6학년 각 A·B (12권)	하루 안전	1~2학년 (2권)

※ 각 교재별 출간 시기는 조금씩 다르며, 일부 교재는 순차적으로 출시될 예정입니다.

기초
학습능력 강화
프로그램

똑똑한
하루 글쓰기

천재교육

정답 및 해설 포인트 3가지

- 혼자서도 이해할 수 있는 친절한 문제 풀이
- 문제 해결에 도움을 주는 '더 알아보기'와 틀린 부분을 짚어 주는 '왜 틀렸을까?'
- 예시 답안과 단계별 채점 기준 제시로 실전 서술형 문항 완벽 대비

뚝 뚝 한

하루 글쓰기

정답 및 해설

10~11쪽 이번 주에는 무엇을 공부할까? ❷

1-1 (1) ○ 1-2 점심을

2-1 오토바이가 | 부릉부릉 (○) | 소리를 | 냈다.

2-2 부엉부엉

1-1 알맞은 순서로 쓴 문장은 '~이/가 + ~을/를 + ~다'의 순서로 쓴 (1)입니다.

1-2 알맞은 순서로 문장을 쓰려면 '~을/를' 부분에 알맞은 말인 '점심을'이 들어가야 합니다.

2-1 '부릉부릉'은 자동차, 오토바이 등의 시동이 걸릴 때 자꾸 나는 소리를 흉내 내는 말입니다.

2-2 '부엉부엉'은 부엉이가 자꾸 우는 소리를 흉내 내는 말입니다.

13쪽

14~15쪽 똑똑한 하루 글쓰기

1 (1) 아이들이 모 래 놀이를 해요.
(2) 친구가 미 끄 럼 틀 을 타요.

2 (1) 달리기 경주에서 거북이 토끼를 이겼다.
(2) 경주가 끝난 뒤 거북이 승리를 기뻐했다.

1 (1) 그림에서 아이들은 모래 놀이를 하고 있습니다.
(2) 그림에서 아이는 미끄럼틀을 타고 있습니다.

2 (1) 그림에서 거북이 토끼보다 앞서 있고 활짝 웃고 있는 것으로 보아, 달리기 경주에서 거북이 토끼를 이겼다는 것을 알 수 있습니다.
(2) 그림에서 거북이 깃발을 들고 활짝 웃고 있는 것으로 보아, 경주가 끝난 뒤 거북이 승리를 기뻐하고 있다는 것을 알 수 있습니다.

더 알아보기

이야기 「토끼와 거북」의 내용 간추리기

토끼와 거북이 달리기 경주를 했습니다. 앞서가던 토끼는 중간에 잠을 잤지만, 거북은 쉬지 않고 기어갔습니다. 그래서 거북이 달리기 경주에서 이겼습니다.

16쪽 똑똑한 하루 글쓰기 받아쓰기

1 ❶ 책 을 ∨ 읽 어 요 .
❷ 줄 넘 기 를 ∨ 해 요 .

2 ❶ 개미들은 먹 이 를 모았다.
❷ 베짱이는 노래를 불 렀 다 .

3 추 운 ∨ 겨 울 , 베 짱 이 가 ∨ 개 미 를 ∨ 찾 아 왔 다 .

17쪽 똑똑한 하루 글쓰기 마무리

❶ 예 호랑이가 토끼를 뒤쫓았다.
예 토끼가 호랑이에게서 도망쳤다.

❷ 예 동생이 늦잠을 잤다.

○ 그림 ❶과 ❷에서 각각 누가(무엇이) 무엇을 하고 있는지 살펴보고 문장을 만들어 써 봅니다.

채점 기준

구분	답안 내용	
평가 기준	❶과 ❷의 그림에 어울리는 문장을 모두 알맞게 썼습니다.	상
	❶과 ❷의 그림에 어울리는 문장을 썼지만 맞춤법에 틀린 부분이 있습니다.	중
	❶과 ❷의 그림에 어울리는 문장을 한 가지만 썼습니다.	하

2일

19쪽

똑똑한 하루 글쓰기 미리 보기

20~21쪽

똑똑한 하루 글쓰기

1 (1) 달래가 [똑][똑]하다.
(2) 도둑이 내 [대][나][무]의 잎을 가져갔다.

2 (1) 동생이 ∨ 자전거를 ∨ 탄다.
(2) 고래가 ∨ 물을 ∨ 뿜는다.

1 (1) 그림에서 판판은 달래가 똑똑하다고 말하였습니다. '~이/가'에 해당하는 부분은 '달래가'이고, '~다'에 해당하는 부분은 '똑똑하다'입니다.
(2) 그림에서 얼굴을 가린 사람이 대나무의 잎을 가져가고 있습니다. '~이/가'에 해당하는 부분은 '도둑이'이고, '~을/를'에 해당하는 부분은 '내 대나무의 잎을'이며, '~다'에 해당하는 부분은 '가져갔다'입니다.

2 (1) '~이/가'에 해당하는 부분은 '동생이'이고, '~을/를'에 해당하는 부분은 '자전거를'이며, '~다'에 해당하는 부분은 '탄다'입니다.
(2) '~이/가'에 해당하는 부분은 '고래가'이고, '~을/를'에 해당하는 부분은 '물을'이며, '~다'에 해당하는 부분은 '뿜는다'입니다.

22쪽

똑똑한 하루 글쓰기 받아쓰기

1 ❶ 숲이 ∨ 울창하다.
❷ 아빠께서 ∨ 바쁘시다.

2 ❶ 동생이 [음][료][수]를 쏟았다.
❷ 친구가 꽃을 [꺾][었][다].

3 새 ∨ 친구가 ∨ 전학을 ∨ 왔다.

23쪽

똑똑한 하루 글쓰기 마무리

❶ 예 별이 밝다.

❷ 예 친구가 풍선을 분다.

❸ 예 소가 풀을 먹는다.

○ 그림에 어울리는 문장을 '~이/가 + ~다'의 순서나 '~이/가 + ~을/를 + ~다'의 순서로 써 봅니다.

더 알아보기

❶~❸ 답 더 알아보기 예

❶ 별이 많다.
별이 예쁘다.

❷ 동생이 풍선을 불고 있다.
남자아이가 눈을 감았다.

❸ 소가 되새김질을 한다.
소가 풀을 뜯는다.

채점 기준

구분	답안 내용	
평가 기준	❶~❸ 모두 그림에 어울리고 제시된 문장 순서에 알맞게 문장을 썼습니다.	상
	❶~❸ 중 두 가지만 그림에 어울리고 제시된 문장 순서에 알맞게 문장을 썼습니다.	중
	❶~❸ 중 한 가지만 그림에 어울리고 제시된 문장 순서에 알맞게 문장을 썼습니다.	하

3일

25쪽

똑똑한 하루 글쓰기 미리 보기

❶ 흉 내
❷ 느 낌
❸ 실 감

26~27쪽

똑똑한 하루 글쓰기

1 (1) 햇볕을 쨍쨍 내리쬐는 해님이 가장 힘이 센 것 같아요.
(2) 쌩쌩 바람이 불면 내 몸은 여기저기 흩어져 버려요.

2 (1) 나는 ∨ 구름 ∨ 앞에서 ∨ 옴짝달싹 ∨ 못 ∨ 해요.
(2) 두더지 ∨ 부부는 ∨ 요리조리 ∨ 따져 ∨ 보았어요.

1 (1) 햇볕 따위가 몹시 내리쬐는 모양을 흉내 내는 말인 '쨍쨍'을 써야 합니다.
(2) 바람이 잇따라 세차게 스쳐 지나가는 소리, 또는 그 모양을 흉내 내는 말인 '쌩쌩'을 써야 합니다.

왜 틀렸을까?
- **쫄쫄**: 가는 물줄기가 잇따라 부드럽게 흐르는 소리. 또는 그 모양.
- **꽝꽝**: 무겁고 단단한 물체가 잇따라 바닥에 떨어지거나 다른 물체와 부딪쳐 울리는 소리.

2 (1) '꼼짝'과 바꾸어 써도 문장의 뜻이 변하지 않는 낱말은 몸을 아주 조금씩 움직이는 모양을 흉내 내는 말인 '옴짝달싹'입니다.
(2) '이리저리'와 바꾸어 써도 문장의 뜻이 변하지 않는 낱말은 말이나 행동을 뚜렷하게 정함이 없이 요러하고 조러하게 되는대로 하는 모양을 흉내 내는 말인 '요리조리'입니다.

왜 틀렸을까?
'올망졸망'은 작고 또렷한 것들이 고르지 않게 많이 벌여 있는 모양을 흉내 내는 말입니다.

28쪽

똑똑한 하루 글쓰기 받아쓰기

1 ❶ 오리가 ∨ 꽥꽥
❷ 암탉이 ∨ 꼬꼬댁

2 ❶ 아기가 털썩 주저앉았다.
❷ 눈물이 그렁그렁 맺혔다.

3 자전거를 ∨ 타고 ∨ 빵빵 ∨ 경적을 ∨ 울렸다.

29쪽

똑똑한 하루 글쓰기 마무리

❶ 예 토끼가 당근을 오물오물 먹었다.
❷ 예 개구리가 개굴개굴 울었다.

○ 그림을 잘 살펴보고 흉내 내는 말을 넣어 그림에 어울리는 문장을 만들어 써 봅니다.

더 알아보기
❶~❷ 답 더 알아보기 예
❶ 토끼가 당근을 오독오독 씹었다.
토끼가 당근을 냠냠 먹었다.
❷ 비가 주룩주룩 내렸다.
개구리가 폴짝폴짝 뛰었다.

채점 기준

구분	답안 내용	
평가 기준	❶과 ❷에 모두 흉내 내는 말을 넣어 그림에 어울리는 문장을 알맞게 썼습니다.	상
	❶과 ❷에 모두 흉내 내는 말을 넣어 그림에 어울리는 문장을 썼지만 맞춤법과 띄어쓰기에 틀린 부분이 있습니다.	중
	❶과 ❷ 중 한 가지만 흉내 내는 말을 넣어 그림에 어울리는 문장을 썼습니다.	하

4일

31쪽 똑똑한 하루 글쓰기 미리 보기

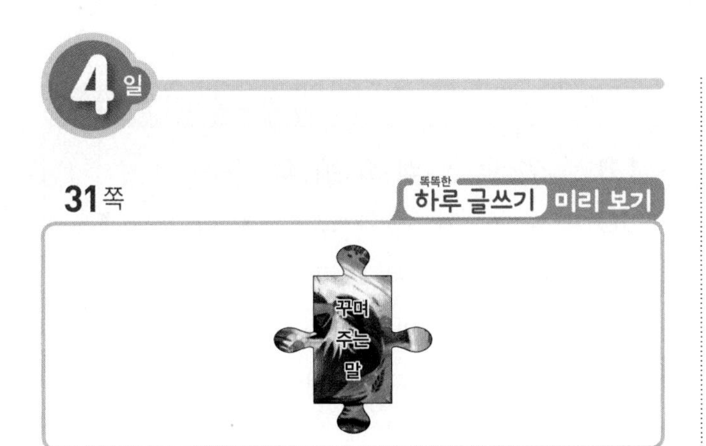

32~33쪽 똑똑한 하루 글쓰기

1 (1) 날 카 로 운 이빨도 있어요.
(2) 저는 날짐승처럼 멋 진 날개가 있어요.

2 (1) 두 편을 왔다 갔다 했던 비겁한 박쥐는 결국 따돌림을 당했어요.
(2) 예 • 어두운 동굴 속에 숨어 살며 캄캄한 밤에만 나와 돌아다니게 됐지요.
예 • 캄캄한 동굴 속에 숨어 살며 어두운 밤에만 나와 돌아다니게 됐지요.

1 (1) '이빨도'를 꾸며 주는 말로 알맞은 것은 '날카로운'입니다.
(2) '날개가'를 꾸며 주는 말로 알맞은 것은 '멋진'입니다.

2 (1) '박쥐는'을 꾸며 주는 말로 알맞은 것은 '비겁한'입니다. '비겁한'을 '박쥐는' 앞에 넣어 문장을 다시 씁니다.
(2) '동굴'과 '밤에만'을 꾸며 주는 말로 알맞은 것은 '어두운' 또는 '캄캄한'입니다. '동굴'과 '밤에만' 앞에 '어두운' 또는 '캄캄한'을 넣어 문장을 다시 씁니다.

더 알아보기
- **비겁한**: 하는 짓이 떳떳하지 못하고 용감하지 못한.
- **따돌림**: 밉거나 싫은 사람을 따로 떼어 멀리하거나 괴롭힘.
- **동굴**: 자연적으로 생긴 넓고 깊은 굴. 굴은 땅이나 바위가 안으로 깊고 길게 파인 것을 말함.

34쪽 똑똑한 하루 글쓰기 받아쓰기

1 ❶ 힘 이 ∨ 더 ∨ 세 !
❷ 젖 을 ∨ 먹 여 ∨ 키 워 요 .

2 ❶ 매 콤 한 떡볶이를 먹었다.
❷ 첨 벙 첨 벙 물놀이를 했다.

3 깜 짝 ∨ 놀 란 ∨ 개 구 리
가 ∨ 후 다 닥 ∨ 달 아 났 다 .

35쪽 똑똑한 하루 글쓰기 마무리

❶ 예 둥근 해가 떴다.
❷ 예 푸른 나무들과 예 알록달록한 꽃들을 보았다.
❸ 나는 누나와 예 손을 꼭 잡고 신나게 학교에 갔다.

○ ❶에는 '해가'를 꾸며 주는 말을, ❷에는 '나무들과'와 '꽃들을'을 꾸며 주는 말을 넣어 문장을 각각 완성해 봅니다. ❸에는 보기 에서 알맞은 꾸며 주는 말을 골라 넣어 '나는 누나와'로 시작하는 문장을 완성해 봅니다. 알맞은 꾸며 주는 말을 넣어 그림에 어울리는 문장을 썼으면 모두 답이 될 수 있습니다.

더 알아보기
❶~❸ 답 더 알아보기 예
❶ 붉은 해가 떴다.
❷ 푸른 나무들과 예쁜 꽃들을 보았다.
❸ 나는 누나와 손을 꼭 잡고 씩씩하게 학교에 갔다.
나는 누나와 활짝 핀 꽃들을 보며 신나게 노래를 불렀다.

채점 기준

구분	답안 내용	
평가 기준	❶~❸에 모두 알맞은 꾸며 주는 말을 넣어 문장을 썼습니다.	상
	❶~❸ 중 두 가지만 알맞은 꾸며 주는 말을 넣어 문장을 썼습니다.	중
	❶~❸ 중 한 가지만 알맞은 꾸며 주는 말을 넣어 문장을 썼습니다.	하

5일

37쪽

똑똑한 하루 글쓰기 미리 보기

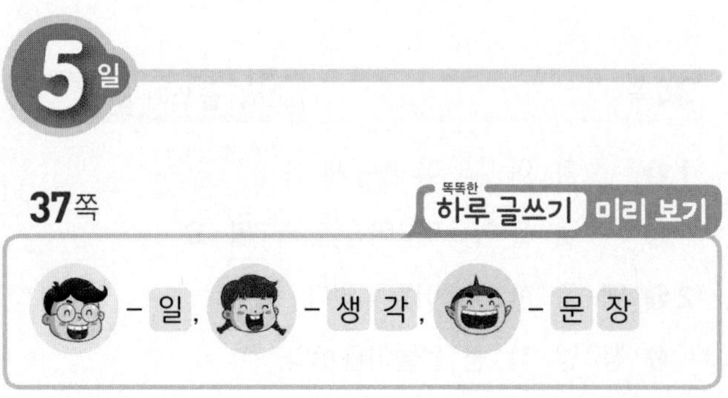

38~39쪽

똑똑한 하루 글쓰기

1 도 서 관 에서는 떠들면 안 된다.

2 예 시험에서 백 점을 받고 싶다.

예 몸은 피곤해도 마음은 뿌듯하다.

예 이 세상에 시험이 없으면 좋겠다.

1 현솔이는 '도서관에서 떠드는 친구들 때문에 책을 읽기 힘들어.'라고 생각하였습니다. 따라서 '도서관에서는 떠들면 안 된다.'와 같은 생각이나 느낌을 나타내는 문장으로 표현할 수 있습니다.

(더 알아보기)

생각이나 느낌을 문장으로 나타내기 예

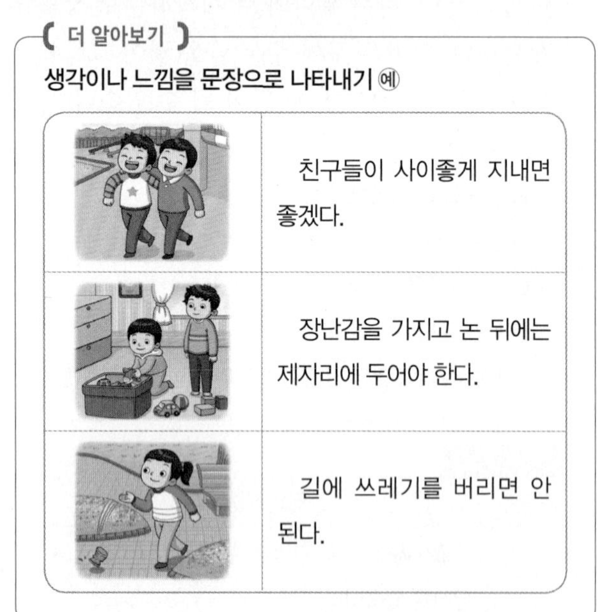

	친구들이 사이좋게 지내면 좋겠다.
	장난감을 가지고 논 뒤에는 제자리에 두어야 한다.
	길에 쓰레기를 버리면 안 된다.

2 일어난 일인 '밤늦게까지 시험공부를 했다.'에 대한 자신의 생각이나 느낌을 떠올려 보고, 보기 에서 자신의 생각이나 느낌과 가장 비슷한 것을 한 가지 골라 씁니다.

40쪽

똑똑한 하루 글쓰기 받아쓰기

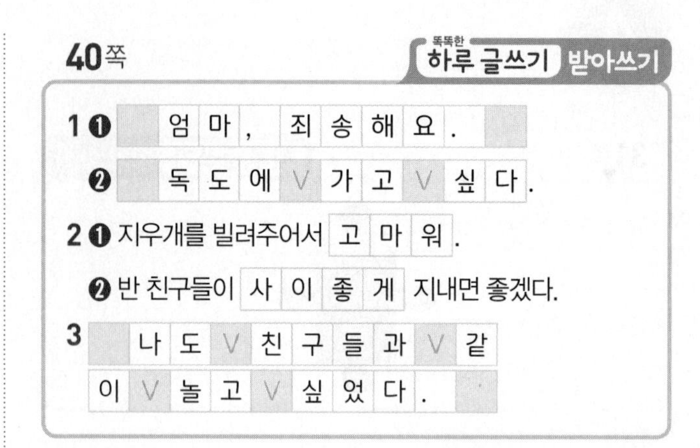

41쪽

똑똑한 하루 글쓰기 마무리

❶ 예 꽃을 함부로 꺾지 않았으면 좋겠다.

❷ 예 시원한 아이스크림을 먹고 싶다.

○ 일어난 일을 보고 나라면 어떤 생각이나 느낌이 들었을지 떠올려 문장으로 써 봅니다.

채점 기준

구분	답안 내용	
평가 기준	❶과 ❷에서 일어난 일에 알맞은 생각이나 느낌을 나타내는 문장을 두 가지 모두 알맞게 썼습니다.	상
	❶과 ❷에서 일어난 일에 알맞은 생각이나 느낌을 나타내는 문장을 두 가지 모두 썼지만 맞춤법이나 띄어쓰기에 틀린 부분이 있습니다.	중
	❶과 ❷에서 일어난 일에 알맞은 생각이나 느낌을 나타내는 문장을 한 가지만 썼습니다.	하

특강

똑똑한 하루 창의·융합·코딩

43쪽

우리 언니는 손 이 크 다 . 그래서 간식도 넉넉하게 나누어 준다.

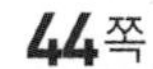

44쪽

- 땀이 나는 모양을 흉내 내는 말은 '뻘뻘'이고, 바람이 부는 모양을 흉내 내는 말은 '살랑살랑'입니다. 방귀 소리를 흉내 내는 말은 '뿡'입니다.

왜 틀렸을까?

- **쿨쿨**: 곤하게 깊이 자면서 숨을 크게 쉬는 소리. 또는 그 모양.
  예) 사자는 쿨쿨 자고 있었다.
- **차곡차곡**: 물건을 가지런히 겹쳐 쌓거나 포개는 모양.
  예) 마른 빨래를 걷어 차곡차곡 개켰다.
- **엉금엉금**: 큰 동작으로 느리게 걷거나 기는 모양.
  예) 가파른 언덕길을 엉금엉금 기다시피 올라갔다.

45쪽

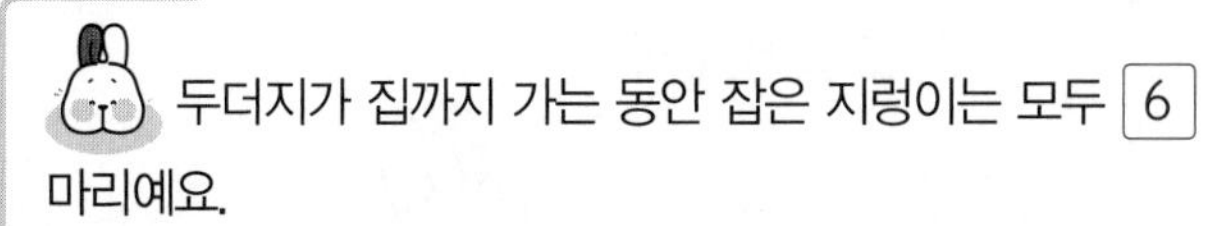

두더지가 집까지 가는 동안 잡은 지렁이는 모두 6 마리예요.

- 두더지는 출발해서 도착할 때까지 지렁이를 차례대로 2마리, 1마리, 3마리 잡았습니다. 따라서 두더지가 집까지 가는 동안 잡은 지렁이는 '2+1+3=6'이므로 모두 6마리입니다.

46쪽

박쥐는 (새다 , 새가 아니다).

- 박쥐는 새처럼 알을 낳지 않고 새끼를 낳아 젖을 먹여 키웁니다. 또 박쥐는 날 수 있지만, 새처럼 날개가 있는 것이 아니라 앞발이 변하고 피부가 늘어나서 날 수 있는 것입니다. 따라서 박쥐는 새가 아닙니다.

47쪽

- 우비, 장화, 우산을 색칠하여 그림을 완성해 봅니다. 우비는 노란색으로, 장화는 빨간색으로, 우산은 알록달록하게 색칠해야 합니다.

평가 누구나 100점 테스트

48~49쪽

1 (2) ○
2 (1) ① (2) ②
3 동생이∨풍선을∨분다.
4 (2) ○
5 비가 주 룩 주 룩 내렸다.
6 (1) ○
7 (3) ×
8 꽃이∨활짝∨피었다.
9 읽은 책을 제자리에 꽂으면 좋겠다.
10 사이좋게

1 그림에서 친구는 미끄럼틀을 타고 있습니다.

2 (1) ①에서 '하늘이'는 '~이/가'에 해당하는 부분이고, '파랗다'는 '~다'에 해당하는 부분입니다.
(2) ②에서 '누나가'는 '~이/가'에 해당하는 부분이고, '피아노를'은 '~을/를'에 해당하는 부분이며, '친다'는 '~다'에 해당하는 부분입니다.

3 '동생이'는 '~이/가', '풍선을'은 '~을/를', '분다'는 '~다'에 해당하는 부분입니다.

4 (2)의 문장에는 몸을 둔하고 느리게 움직이는 모양을 뜻하는 '꼼짝'이라는 흉내 내는 말이 쓰였습니다.

5 '굵은 물줄기나 빗물 따위가 빠르게 자꾸 흐르거나 내리는 소리. 또는 그 모양.'이라는 뜻의 흉내 내는 말인 '주룩주룩'을 써야 합니다.

왜 틀렸을까?
- **그렁그렁**: 눈에 눈물이 넘칠 듯이 그득 괸 모양.
  예 달래의 눈에는 눈물이 그렁그렁 맺혀 있었다.
- **오물오물**: 입술이나 근육 따위가 자꾸 오므라지는 모양.
  예 채민이가 사과를 오물오물 먹었다.

6 뒤에 오는 말을 꾸며 주어 그 뜻을 자세하게 해 주는 말을 꾸며 주는 말이라고 합니다. 흉내 내는 말도 꾸며 주는 말이 될 수 있습니다.

더 알아보기
꾸며 주는 말을 넣어 문장 쓰기 예
- 향기로운 꽃이 아름답게 피었습니다.
- 나무 위에서 지지배배 지저귀는 새들도 보았습니다.

7 (1)의 문장에서 '이빨도'를 꾸며 주는 말로 '날카로운'은 알맞습니다. (2)의 문장에서 '박쥐는'을 꾸며 주는 말로 '비겁한'은 알맞습니다. (3)의 문장에서 '밤에만'을 꾸며 주는 말로 '넓은'은 알맞지 않습니다. '넓은' 대신 '캄캄한' 등을 넣어 '캄캄한 밤에만 나와 돌아다니게 됐지요.'와 같이 고쳐 쓸 수 있습니다.

8 꽃잎 따위가 한껏 핀 모양을 나타내는 꾸며 주는 말인 '활짝'을 넣어 문장을 써야 합니다.

왜 틀렸을까?
- **쌩쌩**: 바람이 잇따라 세차게 스쳐 지나가는 소리. 또는 그 모양. 예 찬바람이 쌩쌩 부는 겨울이 되었다.
- **쾅쾅**: 무겁고 단단한 물체가 잇따라 바닥에 떨어지거나 다른 물체와 부딪쳐 울리는 소리.
  예 동생이 발을 쾅쾅 구르며 떼를 썼다.

9 그림을 보면 책들이 제자리에 꽂혀 있지 않은 모습입니다. 따라서 그림을 보고 '읽은 책을 제자리에 꽂으면 좋겠다.'와 같은 생각이나 느낌을 나타내는 문장을 쓸 수 있습니다.

10 '반 친구들이 사이조케 지내면 좋겠다.'에서 '사이조케'는 '사이좋게'라고 고쳐 써야 합니다.

52~53쪽 이번 주에는 무엇을 공부할까? ❷

1-1 (1) ○　　1-2 다 치 다

2-1 (1) ② (2) ①　　2-2 (1) 가 치 (2) 같 이

1-1 '다치다'는 '부딪치거나 맞거나 하여 신체에 상처가 생기다.'라는 뜻입니다. (2)는 낱말 '닫히다'의 뜻입니다.

1-2 넘어져서 다리에 상처가 생긴 그림에 알맞은 낱말은 '다치다'입니다.

2-1 '가치'는 '사물이 지니고 있는 쓸모.', '같이'는 '둘 이상의 사람이나 사물이 함께.'라는 뜻입니다.

2-2 (1) 금은 지니고 있는 쓸모가 높은 사물이므로 '가치가 높다'라는 표현이 어울립니다.
(2) 축구를 함께 하자고 제안하는 상황에 어울리는 낱말은 '같이'입니다.

1일

55쪽 똑똑한 하루 글쓰기 미리 보기

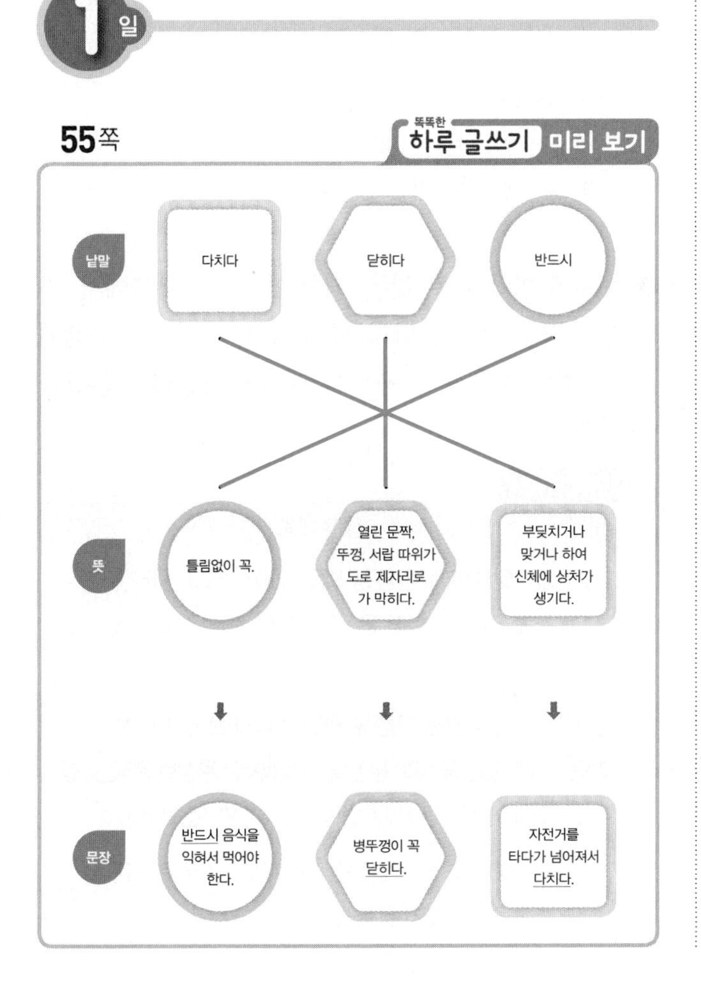

56~57쪽 똑똑한 하루 글쓰기

1 (1) 문이 닫 히 다. (2) 손을 다 치 다.

2 (1) 나 무 가 ∨ 반 듯 이 ∨ 서 ∨ 있 다 .
(2) 반 드 시 ∨ 이 길 ∨ 것 이 다 .

1 (1) 문이 도로 제자리로 가 막히는 그림에 알맞은 낱말은 '닫히다'입니다.
(2) 손에 상처가 생긴 그림에 알맞은 낱말은 '다치다'입니다.

2 (1) 나무가 기울거나 굽지 않고 바르게 서 있는 그림에 어울리는 문장은 '나무가 반듯이 서 있다.'입니다.

더 알아보기
'나무가 반듯이 서 있다.'는 '반듯이 나무가 서 있다.'라고 바꾸어 써도 같은 뜻의 문장이 됩니다.

(2) 팔씨름을 하며 틀림없이 꼭 이길 것을 다짐하는 그림에 어울리는 문장은 '반드시 이길 것이다.'입니다.

58쪽 똑똑한 하루 글쓰기 받아쓰기

1 ❶ 자 동 문 이 ∨ 닫 히 다 .
❷ 책 을 ∨ 반 듯 이 ∨ 꽂 다 .

2 ❶ 할머니께서 반 듯 이 누워 계셨다.
❷ 돌을 밟고 넘어져서 다 쳤 다.

3 약 속 은 ∨ 반 드 시 ∨ 지 켜 야 ∨ 한 다 .

59쪽 똑똑한 하루 글쓰기 마무리

❶ 수 저 가 ∨ 반 듯 이 ∨ 놓 여 ∨ 있 다 .

❷ 예 서 랍 이 　 저 절 로 닫 히 다 .

❸ 예 넘 어 져 서 　 무 릎 을 　 다 치 다 .

- 제시된 낱말을 사용하여 그림 ❶, ❷, ❸에 어울리는 문장을 각각 만들어 써 봅니다.

채점 기준

구분	답안 내용	
평가 기준	제시된 낱말을 사용하여 ❶, ❷, ❸의 그림에 어울리는 문장을 모두 알맞게 썼습니다.	상
	❶, ❷, ❸의 문장을 모두 썼지만 그림에 어울리지 않거나 제시된 낱말을 사용하지 않은 문장이 있습니다.	중
	❶, ❷, ❸ 중 한두 문장만 쓰고 나머지는 답을 쓰지 못했습니다.	하

2일

61쪽 똑똑한 하루 글쓰기 미리 보기

- 거 름, - 시 키 다,

- 식 히 다

62~63쪽 똑똑한 하루 글쓰기

1 (1) 운동장을 빠른 걸 음으로 걷다 넘어졌다.
(2) 연수에게 채원이를 부축하라고 시 켰 다.

2 (1) 뜨거운∨차를∨후후∨불어∨식혔다.
(2) 거름을∨주면∨농작물이∨잘∨자란다.

1 (1) 빠르게 두 발을 번갈아 옮겨 놓다 넘어진 그림에 알맞은 낱말은 '걸음'입니다.
(2) 연수에게 채원이를 부축하게 한 일에 알맞은 낱말은 '시켰다'입니다.

더 알아보기
'시키다'에는 '음식 따위를 만들어 오거나 가지고 오도록 주문하다.'라는 뜻도 있습니다.

2 (1) 뜨거운 차의 더운 기를 없애기 위해 후후 불고 있는 그림에 알맞은 낱말은 '식히다'입니다.
(2) 농부가 식물이 잘 자라도록 땅에 무언가를 뿌리고 있는 그림에 알맞은 낱말은 '거름'입니다.

64쪽 똑똑한 하루 글쓰기 받아쓰기

1 ❶ 느긋한∨걸음
❷ 열기를∨식히다.

2 ❶ 꽃밭에 거 름 을 뿌렸다.
❷ 언니가 집을 청소하라고 시 켰 다.

3 뜨거운∨물을∨식혀서∨냉장고에∨넣었다.

65쪽 똑똑한 하루 글쓰기 마무리

예 농부가 거름을 주기 위해 밭으로 걸음을 옮겼다.

예 농부가 거름을 주기 위해 밭으로 가는 걸음이 빠르다.

- 농부가 밭에 주는 것은 '거름'이므로 앞부분에서 '거름'이라는 낱말을 따라 써 봅니다. 그리고 뒷부분에는 낱말 '걸음'을 사용하여 그림에 어울리게 문장을 완성해 봅니다.

채점 기준

구분	답안 내용	
평가 기준	앞부분에 '거름'을 알맞게 따라 쓰고, 뒷부분에 '걸음'을 넣어 문장을 자연스럽게 완성해 썼습니다.	상
	앞부분에 '거름'을 알맞게 따라 쓰고, 뒷부분에 '걸음'을 넣어 문장을 완성했지만 완성한 문장에 어색하거나 맞춤법이 틀린 부분이 있습니다.	중
	'거름'이라는 낱말만 따라 쓰고 뒷부분의 문장을 완성하지 못했습니다.	하

3일

67쪽 똑똑한 하루 글쓰기 미리 보기

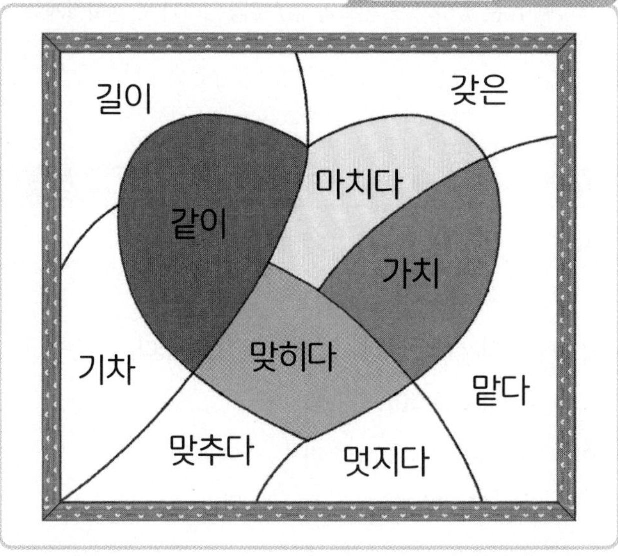

68~69쪽 똑똑한 하루 글쓰기

1 우리 (1) 같 이 퀴즈 대회에 나가 보자. 문제를 (2) 맞 히 면 상금도 탈 수 있대.
2 (1) 수업 마치고 교문 앞에서 만나자.
(2) 가치 없는 물건을 버렸다.

1 (1) 퀴즈 대회에 함께 나가자는 제안에 알맞은 낱말은 '같이'입니다.
(2) 퀴즈 문제에 대한 답을 틀리지 않으면 상금을 탈 수 있는 상황에 알맞은 낱말은 '맞히면'입니다.

더 알아보기

'맞히다'와 헷갈리기 쉬운 낱말 '맞추다'의 뜻 알아보기
- 서로 떨어져 있는 부분을 제자리에 맞게 대어 붙이다.
  예 떨어진 조각을 제자리에 맞추다.
- 둘 이상의 일정한 대상들을 나란히 놓고 비교하여 살피다.
  예 친구와 내일의 일정을 맞추어 보았다.
- 서로 어긋남이 없이 조화를 이루다.
  예 발을 맞추어 걷다.
- 어떤 기준이나 정도에 어긋나지 않게 하다.
  예 점수에 맞추어 대학 원서를 썼다.
- 어떤 기준에 틀리거나 어긋남이 없이 조정하다. 등
  예 알람을 아침 6시에 맞추다.

2 (1) 수업이 끝난 후에 교문 앞에서 만나는 상황이므로 '맞히고' 대신 '마치고'를 써서 문장을 만들어야 합니다.
(2) 쓸모없는 물건을 쓰레기통에 버리고 있는 그림에 알맞은 문장은 '가치 없는 물건을 버렸다.'입니다.

왜 틀렸을까?

'같이'는 '둘 이상의 사람이나 사물이 함께.'라는 뜻이므로 혼자 물건을 버리고 있는 그림에 어울리지 않는 낱말입니다.

70쪽 똑똑한 하루 글쓰기 받아쓰기

1 ❶ 가 치 가 ∨ 낮 다 .
❷ 시 합 을 ∨ 마 쳤 다 .
2 ❶ 서아와 같 이 인형 놀이를 했다.
❷ 암산 대회에 나가 정답을 맞 혔 다 .
3 시 험 ∨ 문 제 를 ∨ 모 두 ∨ 맞 혔 다 .

71쪽 똑똑한 하루 글쓰기 마무리

❶ 예 같이 놀고 / 예 같이 시간을 보내고
❷ 예 맞혀 볼래 / 예 맞힐 수 있니

- 이야기책의 그림과 앞뒤 내용을 보고, ❶과 ❷에 알맞은 문장을 각각 완성해 씁니다.

채점 기준

구분	답안 내용	
평가 기준	보기 의 말을 사용하여 이야기책의 그림과 앞뒤 내용에 어울리게 ❶과 ❷의 문장을 모두 잘 썼습니다.	상
	보기 의 말을 사용하여 ❶과 ❷의 문장을 모두 썼지만 이야기책의 그림이나 앞뒤 내용과 어울리지 않는 점이 있습니다.	중
	❶과 ❷의 문장 중 하나만 완성하여 썼습니다.	하

4일

73쪽 똑똑한 하루 글쓰기 미리 보기

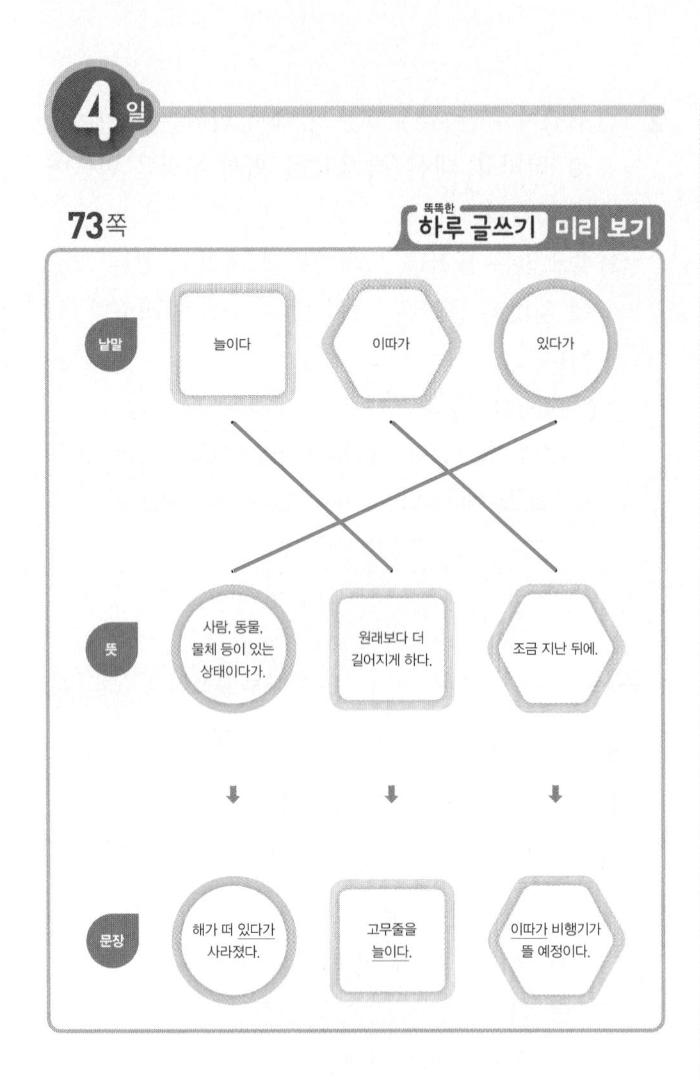

74~75쪽 똑똑한 하루 글쓰기

1 (1) 늘 이 는 지 (2) 있 다 가

2 (1) 하 준 이 는 ∨ 진 서 보 다 ∨ 느 리 다 .

(2) 이 따 가 ∨ 또 ∨ 전 화 할 게 .

1 (1) 코를 원래보다 더 길어지게 하는 상황에 알맞은 낱말은 '늘이는지'입니다.

(2) 코가 있는 상태이다가 없는 상태이다가 하는 마법 같았다는 의미이므로 알맞은 낱말은 '있다가' 입니다.

2 (1) 하준이가 달리기 시합에서 진서보다 뒤에 있는 그림에 알맞은 낱말은 '느리다'입니다.

(2) 시간이 조금 지난 뒤에 또 전화 통화를 하는 그림에 알맞은 낱말은 '이따가'입니다.

더 알아보기

'있다가'도 '얼마의 시간이 지나.'라는 의미가 있지만, 앞에 시간을 나타내는 말이 함께 와야 합니다.

예 10분 있다가 또 전화할게. / 조금 있다가 또 전화할게.

76쪽 똑똑한 하루 글쓰기 받아쓰기

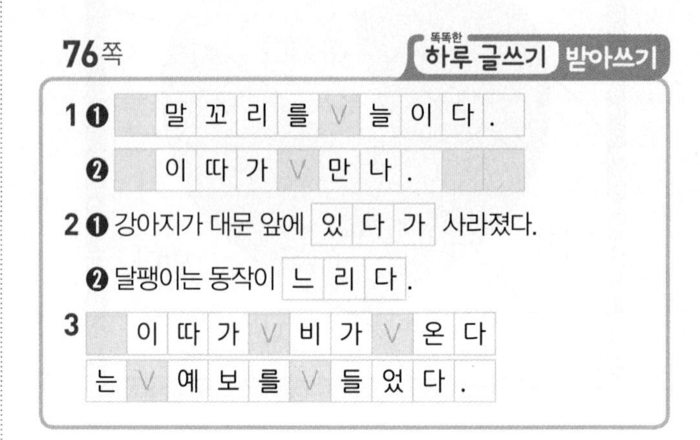

77쪽 똑똑한 하루 글쓰기 마무리

❶ 예 내 자전거는 두발자전거보다 느리다. / 예 내 자전거는 두발자전거보다 느려.

❷ 예 주인아저씨가 있다가 없어지셨네? / 예 주인아저씨가 조금 전까지 있다가 없어지셨네?

❸ 예 바짓단을 늘이고 허리를 줄여야지! / 예 바짓단을 늘인 후에 허리를 줄여야지!

❹ 예 이따가 다시 만나자. / 예 이따가 학원에서 다시 만나자.

- **보기**의 낱말을 사용해 그림의 상황에 어울리는 문장을 만들어 써 봅니다.

채점 기준

구분	답안 내용	
평가 기준	**보기**의 낱말을 모두 한 번씩 사용하여 그림 속 상황에 어울리는 문장을 잘 만들어 썼습니다.	상
	보기의 낱말을 모두 한 번씩 사용하여 그림 속 상황에 어울리는 문장을 만들어 썼지만 맞춤법이 틀린 부분이 있습니다.	중
	보기의 낱말을 모두 한 번씩 사용했지만 그림 속 상황에 어울리지 않는 문장을 만들어 썼습니다.	하

79쪽 똑똑한 하루 글쓰기 미리 보기

- 깁 다, - 다 리 다,

- 달 이 다

80~81쪽 똑똑한 하루 글쓰기

1 (1) 옷을 깁 다. (2) 옷을 다 리 다.

2 (1) 바 다 가 ∨ 깊 고 ∨ 푸 르 다.

(2) 창 가 에 ∨ 앉 아 ∨ 차 를 ∨ 달 여 ∨ 마 셨 다.

1 (1) '떨어지거나 해어진 곳에 다른 조각을 대거나 또는 그대로 꿰매다.'라는 뜻의 '깁다'가 사진에 알맞은 낱말입니다.

(2) '옷 따위의 주름이나 구김을 펴고 줄을 세우려고 다리미나 인두로 문지르다.'라는 뜻의 '다리다'가 사진에 알맞은 낱말입니다.

2 (1) '겉에서 속까지의 거리가 멀고.'라는 뜻의 '깊고'를 사용한 '바다가 깊고 푸르다.'가 그림에 알맞은 문장입니다.

더 알아보기

'깊다'의 다른 뜻 더 알아보기 예

- 생각이 듬쑥하고 신중하다.
  예 언니는 항상 사려 깊게 행동한다.
- 수준이 높거나 정도가 심하다.
  예 깊은 잠에 빠져 꿈도 꾸지 않았다.
- 시간이 오래다.
  예 우리나라는 역사가 깊다.
- 어둠이나 안개 따위가 자욱하고 빽빽하다.
  예 깊은 어둠이 내려앉은 밤이었다.

(2) '액체 따위를 끓여 진하게 만들거나 약재 따위에 물을 부어 우러나도록 끓여.'라는 뜻의 '달여'를 사용한 '창가에 앉아 차를 달여 마셨다.'가 그림에 알맞은 문장입니다.

82쪽 똑똑한 하루 글쓰기 받아쓰기

1 ❶ 해 진 ∨ 바 지 를 ∨ 깁 다.

❷ 웃 옷 을 ∨ 다 리 다.

2 ❶ 찢어진 치마를 깁 다.

❷ 깊 은 산속에 오두막 한 채가 있다.

3 할 아 버 지 께 ∨ 드 릴 ∨ 한 약 을 ∨ 달 였 다.

83쪽 똑똑한 하루 글쓰기 마무리

❶ 수 영 장 ∨ 물 이 ∨ 깊 다.

❷ 예 아 기 옷 을 다 리 다.

예 엄 마 께 서 아 기 옷 을 다 리 신 다.

❸ 예 간 장 을 달 이 다.

예 간 장 을 달 여 진 하 게 만 든 다.

○ 각 그림에 어울리는 문장을 만들어 써 봅니다.

채점 기준

구분	답안 내용	
평가 기준	보기 의 말을 모두 사용하여 그림에 어울리는 문장을 잘 만들어 썼습니다.	상
	보기 의 말을 모두 사용하여 그림에 어울리는 문장을 만들어 썼지만 맞춤법이 틀린 부분이 있습니다.	중
	보기 의 말 중 한 가지만 사용하여 문장을 만들어 썼습니다.	하

특강 똑똑한 하루 창의·융합·코딩

85쪽

도대체 공부하라는 말을 몇 번째 듣는 건지 모르겠어. "귀 에 못 이 박 히 다"라는 말이 생각난다.

86쪽

○ '틀림없이 꼭.'은 낱말 '반드시'의 뜻이고, '두 발을 번갈아 옮겨 놓는 동작.'은 낱말 '걸음'의 뜻입니다. '조금 지난 뒤에.'는 낱말 '이따가'의 뜻이고, '옷 따위의 주름이나 구김을 펴고 줄을 세우려고 다리미나 인두로 문지르다.'는 낱말 '다리다'의 뜻입니다. 각 낱자를 따라 '반-드-시-걸-음-이-따-가-다-리-다'의 차례로 길을 찾아봅니다.

87쪽

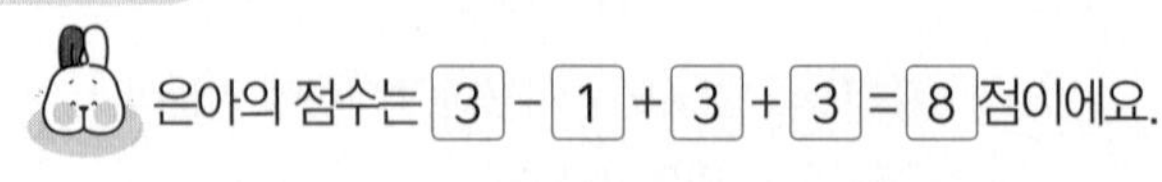

○ 1단계는 정답을 맞혔으므로 3점을 얻고, 2단계는 정답을 맞히지 못했으므로 1점을 잃습니다. 3단계와 4단계는 정답을 맞혔으므로 각각 3점을 얻게 되어 은아의 점수는 3−1+3+3=8점입니다. 각 단계의 정답이 되는 문장은 다음과 같습니다.

1단계 바른 말 맞히기 대회에 참가했다.
2단계 동생은 걸음이 느리다.
3단계 창문이 쾅 닫히다.
4단계 깊은 샘에서 물을 길어 먹었다.

88쪽

(1) 달인 (2) 식혀 (3) 같이 (4) 반드시

○ 알맞은 뜻을 가진 낱말에 각각 ○표를 해 봅니다.

더 알아보기

단오, 복날, 추석, 설날에 대하여 알아보기

- **단오**: 음력 5월 5일로, 모내기를 끝내고 풍년을 기원합니다. 단오떡을 해 먹고, 여자는 창포물에 머리를 감고 남자는 씨름을 합니다.
- **복날**: 더운 날씨에 건강을 챙기기 위하여 삼계탕 등의 특별한 음식을 장만하여 먹습니다.
- **추석**: 음력 8월 15일로, 차례를 지내고 햇곡식으로 송편을 만들어 먹으며 소놀이, 줄다리기, 강강술래 등의 놀이를 합니다.
- **설날**: 음력 1월 1일로 한 해의 첫날을 맞이하는 명절입니다. 떡국을 먹고 어른들께 세배를 드리며, 덕담을 듣습니다.

89쪽

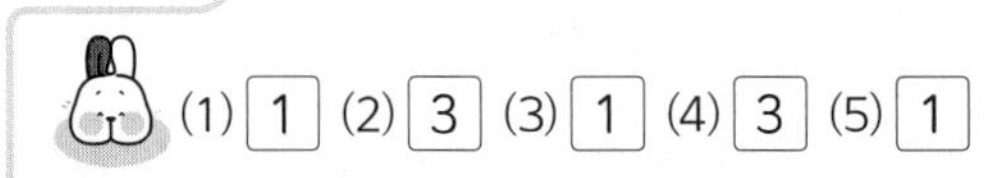

○ 실 → 분무기 → 다리미 → 바늘의 차례대로 길을 지나면 다음과 같습니다. 순서 카드에 알맞은 숫자를 써 봅니다.

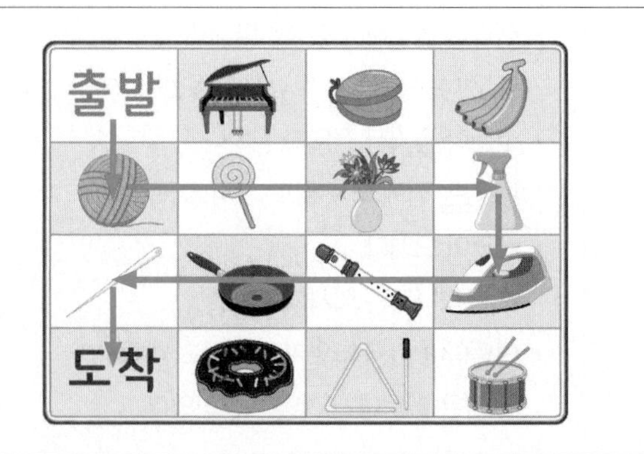

평가 누구나 100점 테스트

90~91쪽

1 밤톨　2 (2) ○　3 시켰다
4 거름을 주면 농작물이 잘 자란다.
5 우리∨같이∨퀴즈∨대회에∨나가∨보자.
6 맞히다　7 (1) ② (2) ①　8 느리구나
9 (1) 바다가 깊다. (2) 윗옷을 깁다.
10 (1) ① (2) ②

1 헷갈리기 쉬운 낱말을 바르게 쓰면 서로 무슨 말을 하는지 분명히 알 수 있고, 문장의 뜻을 정확하게 알 수 있습니다.

2 '작은 물체, 생각이나 행동 따위가 비뚤어지거나 기울거나 굽지 않고 바르게.'라는 뜻에 알맞은 낱말은 '반듯이'입니다.

> **왜 틀렸을까?**
> **반드시**: 틀림없이 꼭.

3 '어떤 일이나 행동을 하게 했다.'라는 뜻의 '시켰다'로 고쳐 써야 합니다.

4 '식물이 잘 자라도록 땅을 기름지게 하기 위하여 주는 물질.'이라는 뜻의 '거름'이 알맞은 낱말입니다.

> **왜 틀렸을까?**
> **걸음**: 두 발을 번갈아 옮겨 놓는 동작.

5 '둘 이상의 사람이나 사물이 함께.'라는 뜻의 '같이'로 고쳐 써야 합니다.

> **왜 틀렸을까?**
> **가치**: 사물이 지니고 있는 쓸모.

6 '문제에 대한 답을 틀리지 않게 하다.'라는 뜻의 '맞히다'가 알맞은 낱말입니다.

> **왜 틀렸을까?**
> **마치다**: 어떤 일이나 과정, 절차 따위가 끝나다. 또는 그렇게 하다.

7 (1) '어떤 동작을 하는 데 걸리는 시간이 길다.'라는 뜻의 '느리다'를 사용해 '달팽이는 느리다.'라는 문장을 완성해 봅니다.
(2) '원래보다 더 길어지게 하다.'라는 뜻의 '늘이다'를 사용해 '말꼬리를 늘이다.'라는 문장을 완성해 봅니다.

8 '어떤 동작을 하는 데에 걸리는 시간이 길다.'라는 뜻의 '느리다'를 사용한 '느리구나'가 알맞은 낱말입니다.

> **왜 틀렸을까?**
> **늘이다**: 원래보다 더 길어지게 하다.

9 (1) '겉에서 속까지의 거리가 멀다.'라는 뜻의 '깊다'를 사용해 '바다가 깊다.'라는 문장을 완성해 봅니다.
(2) '떨어지거나 해어진 곳에 다른 조각을 대거나 또는 그대로 꿰매다.'라는 뜻의 '깁다'를 사용해 '윗옷을 깁다.'라는 문장을 완성해 봅니다.

10 (1) 낱말 '다리다'는 '옷 따위의 주름이나 구김을 펴고 줄을 세우려고 다리미나 인두로 문지르다.'라는 뜻입니다.
(2) 낱말 '달이다'는 '액체 따위를 끓여 진하게 만들거나 약재 따위에 물을 부어 우러나도록 끓이다.'라는 뜻입니다.

94~95쪽

이번 주에는 무엇을 공부할까? ❷

1-1 (1) ○   1-2 간단하게
2-1 고마움을 표현하는   2-2 (2) ○

1-1, 2 쪽지 쓰기는 전하고자 하는 내용의 글을 종이에 간단하게 쓰는 것을 말합니다.

2-1 동생의 말 '고마워!'를 통해 형에게 고마움을 표현하는 쪽지를 쓸 것임을 알 수 있습니다.

2-2 영양사 선생님께 고마움을 표현하는 쪽지를 쓴 것입니다.

1일

97쪽

똑똑한 하루 글쓰기 미리 보기

– 언 제, – 어 디 에 서,

– 무 슨 일

98~99쪽

똑똑한 하루 글쓰기

1 (1) 우리 반 학 예 회에 초대합니다.
(2) 친구들과 공 연 연습을 열심히 했습니다.

2 ❶ 우리 반 학 예 회에 초 대합니다.
❷ 친구들과 공 연 연 습 을 열 심 히 했습니다.

3
부모님께
❶ 우리 반 학예회에 초대합니다.
❷ 친구들과 공연 연습을 열심히 했습니다.
꼭 오셔서 즐겁게 봐 주세요.
❖ 언제: 다음 주 목요일 오후 1시
❖ 어디에서: 천재초등학교 강당
사랑스러운 딸 희수 올림

1 (1) 아이가 부모님께 학예회에 초대하는 쪽지를 쓰고 있습니다.
(2) 아이가 친구들과 공연 연습을 열심히 하고 있습니다.

2 1에서 쓴 초대하는 말을 두 문장으로 정리해서 씁니다.

3 2에서 쓴 문장을 넣어 초대하는 쪽지를 완성해 봅니다.

채점 기준

초대하는 쪽지를 맞춤법이나 띄어쓰기에 맞게 잘 썼으면 정답입니다.

100쪽

똑똑한 하루 글쓰기 받아쓰기

1 ❶ 다 음 ∨ 주 ∨ 목 요 일
❷ 우 리 ∨ 학 교 ∨ 강 당

2 ❶ 내 일 우리 집에 초대할게.
❷ 맛 있 는 음식도 먹고 함께 놀자.

3 우 리 ∨ 집 에 서 ∨ 같 이 ∨ 공 부 하 자 .

101쪽

똑똑한 하루 글쓰기 마무리

기찬아!
목요일 3시에 우리 집에서 내 생일잔치를 하는데
❶ 너를 초대하고 싶어.
엄마께서 맛있는 음식도 해 준다고 하시니까
❷ 꼭 와서 함께 먹었으면 좋겠어.
달래가

○ ❶과 ❷에 들어갈 알맞은 말을 보기에서 골라 쪽지를 완성해 봅니다.

채점 기준

구분	답안 내용	
평가 기준	보기에서 알맞은 말을 골라 초대하는 쪽지를 완성하였습니다.	상
	보기에서 알맞은 말을 골라 초대하는 쪽지를 썼으나 맞춤법이나 띄어쓰기에 맞지 않는 부분이 있습니다.	중
	한 군데만 알맞은 말을 골라 썼습니다.	하

2일

103쪽

똑똑한 하루 글쓰기 미리 보기

104~105쪽

똑똑한 하루 글쓰기

1 (1) 집 안에서 쿵쿵 뛰 어 다녔다.
(2) 정말 죄 송 합니다.

2 집 안에서 쿵 쿵 뛰 어 다녀서 정 말 죄 송 합 니 다.

3

	집	V	안	에	서	V	쿵	쿵	V
뛰	어	다	녀	서	V	정	말	V	죄
송	합	니	다	.					

1 (1) 그림에서 아이가 집 안에서 쿵쿵 뛰어다니고 있습니다.
(2) 그림에서 아이는 할머니께 죄송한 마음이 들어 할머니께 사과하는 쪽지를 써서 문에 붙여 놓았습니다.

2 1에서 쓴 사과하는 쪽지에 들어갈 말을 한 문장으로 이어서 써 봅니다.

3 2에서 쓴 사과하는 쪽지에 들어갈 말을 넣어 사과하는 쪽지를 완성해 봅니다.

채점 기준

사과하는 쪽지에 들어갈 말을 한 문장으로 정리한 것을 바르게 썼으면 정답입니다.

106쪽

똑똑한 하루 글쓰기 받아쓰기

1 ❶

	살	금	살	금	V	좀	V	다	녀	!

❷

	너	무	V	시	끄	러	워	서	

2 ❶ 장 난 감 을 망가뜨려서 미안해.
❷ 동생을 괴 롭 혀 서 죄송해요.

3

	차	례	를	V	지	키	지	V	않
아	서	V	미	안	해	.			

107쪽

똑똑한 하루 글쓰기 마무리

서윤아, 미술 시간에 내가 네 스케치북에 물을 쏟아서 많이 속상했지?
네가 열심히 그린 그림을 내가 망쳐서 너무 미안해.
다음에는 내가 더 조심할게.
지헌이가

○ 보기 에서 미안한 마음을 표현한 말이 들어 있는 것을 골라 써 봅니다.

채점 기준

구분	답안 내용	
평가 기준	보기 에서 미안한 마음을 표현한 말을 골라 사과하는 쪽지를 알맞게 완성하였습니다.	상
	보기 에서 미안한 마음을 표현한 말을 골라 사과하는 쪽지를 썼으나 맞춤법이나 띄어쓰기가 틀린 부분이 있습니다.	중
	미안한 마음을 표현한 말을 골라 사과하는 쪽지를 완성하지 못하였습니다.	하

왜 틀렸을까?

사과하는 쪽지를 쓸 때에는 '미안해.', '죄송합니다.' 등의 미안한 마음을 표현하는 말이 들어가야 합니다. '네가 짜증을 내니까 사과하고 싶지 않아.'에는 미안한 마음을 표현하는 말이 들어가 있지 않습니다.

3일

109쪽 똑똑한 하루 글쓰기 미리 보기

❶ 누 구 ❷ 고 마 움 ❸ 솔 직 하 게

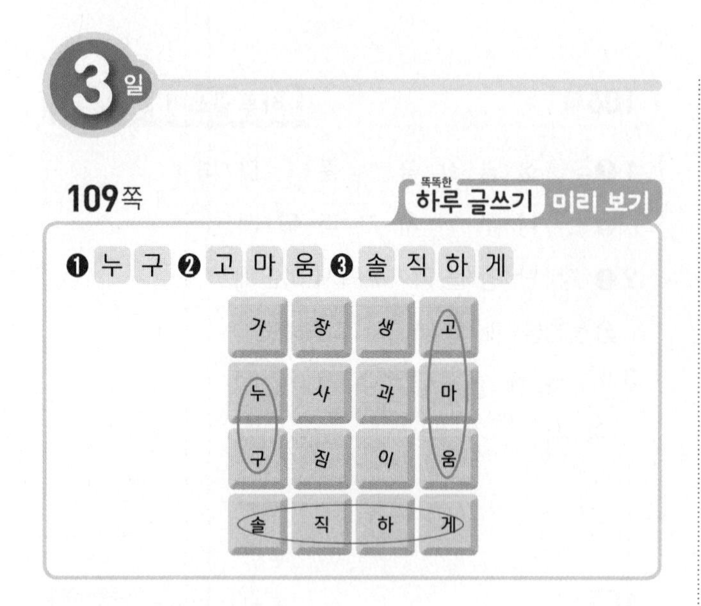

110~111쪽 똑똑한 하루 글쓰기

1 (1) 음식을 빨 대 로 먹으니까 정말 편했어.
(2) 나를 배려해 줘서 고 마 워.

2 ❶ 음식을 빨 대 로 먹 으 니 까 정말 편했어.
❷ 나를 배 려 해 줘 서 고 마 워.

3
여우야,
❶ 음식을 빨대로 먹으니까 정말 편했어.
❷ 나를 배려해 줘서 고마워.
다음에는 우리 집에 초대할게.
두루미가

1 (1) 그림에서 두루미가 빨대로 음식을 편하게 먹고 있습니다.
(2) 두루미는 자신을 배려해 준 여우에게 고마운 마음이 들었을 것입니다.

2 1에서 표현한 고마움을 나타낸 말을 두 문장으로 다시 써 봅니다.

3 2에서 쓴 문장을 넣어 고마움을 표현하는 쪽지를 완성해 봅니다.

채점 기준

고마움을 표현한 말을 넣어 쪽지를 알맞게 썼으면 정답입니다.

112쪽 똑똑한 하루 글쓰기 받아쓰기

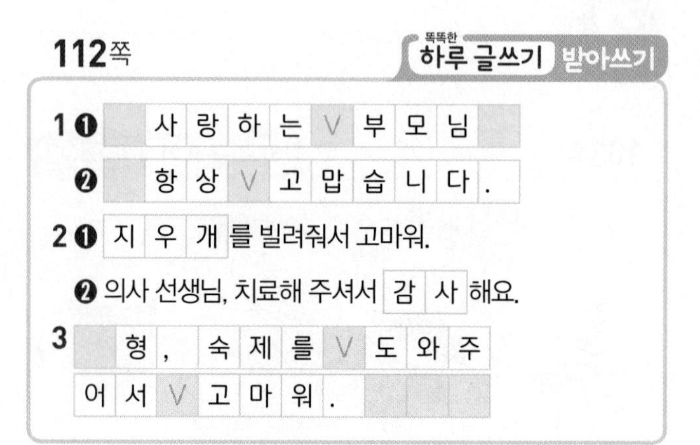

1 ❶ 사 랑 하 는 ∨ 부 모 님
❷ 항 상 ∨ 고 맙 습 니 다 .

2 ❶ 지 우 개 를 빌려줘서 고마워.
❷ 의사 선생님, 치료해 주셔서 감 사 해요.

3 형 , 숙 제 를 ∨ 도 와 주 어 서 ∨ 고 마 워 .

113쪽 똑똑한 하루 글쓰기 마무리

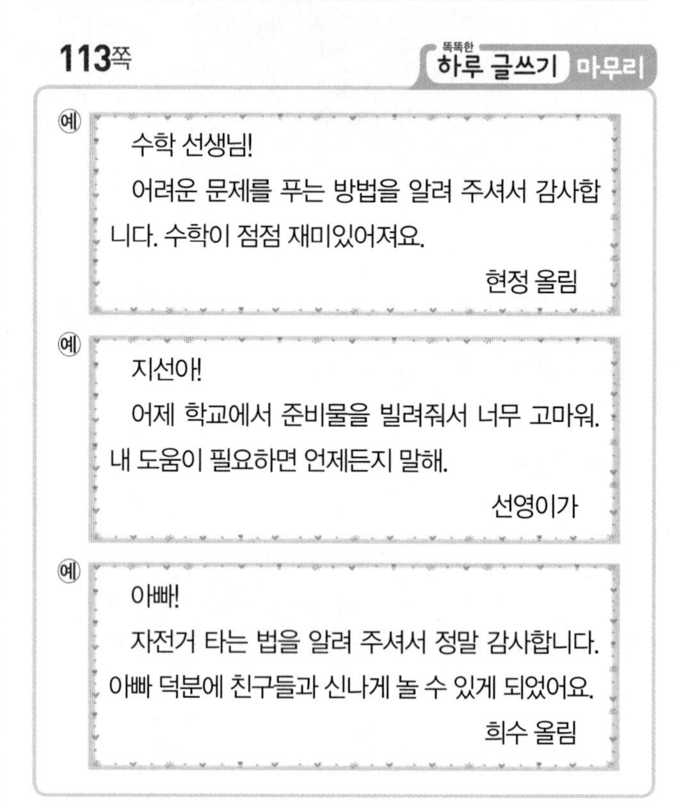

예
수학 선생님!
어려운 문제를 푸는 방법을 알려 주셔서 감사합니다. 수학이 점점 재미있어져요.
현정 올림

예
지선아!
어제 학교에서 준비물을 빌려줘서 너무 고마워. 내 도움이 필요하면 언제든지 말해.
선영이가

예
아빠!
자전거 타는 법을 알려 주셔서 정말 감사합니다. 아빠 덕분에 친구들과 신나게 놀 수 있게 되었어요.
희수 올림

○ 주변에 고마운 사람을 떠올려 고마웠던 일과 고마움을 표현하는 말을 쓰고, 자신의 생각이나 느낌을 써 봅니다.

채점 기준

구분	답안 내용	
평가 기준	고마웠던 일과 고마움을 표현하는 말, 자신의 생각이나 느낌을 모두 넣어 알맞게 썼습니다.	상
	고마웠던 일과 고마움을 표현하는 말을 넣어 썼으나 맞춤법이나 띄어쓰기가 틀린 부분이 있습니다.	중
	고마웠던 일만 넣어서 고마움을 표현하는 쪽지를 썼습니다.	하

4일

115쪽

똑똑한 하루 글쓰기 미리 보기

116~117쪽

똑똑한 하루 글쓰기

1 (1) 너는 글 씨 를 정말 예쁘게 쓰는구나.
(2) 나도 글씨를 또 박 또 박 써야겠어.

2 ❶ 너는 글 씨 를 정말 예 쁘 게 쓰는구나.
❷ 나도 글 씨 를 또 박 또 박 써야겠어.

3 유진아, 너는 ∨ 글씨를 ∨ 정말 ∨ 예쁘게 ∨ 쓰는구나. 나도 ∨ 글씨를 ∨ 또박또박 ∨ 써야겠어.

1 (1) 그림 속 여자아이는 바르게 앉아 글씨를 예쁘게 쓰고 있습니다.
(2) 그림에서 남자아이는 글씨를 또박또박 쓰겠다고 다짐하고 있습니다.

2 1에서 칭찬한 말과 칭찬한 일에 대한 생각이나 느낌을 두 문장으로 다시 써 봅니다.

3 2에서 쓴 문장을 넣어 칭찬하는 쪽지를 완성해 봅니다.

채점 기준

칭찬한 말과 칭찬한 일에 대한 생각이나 느낌을 넣어 칭찬하는 쪽지를 알맞게 썼으면 정답입니다.

118쪽

똑똑한 하루 글쓰기 받아쓰기

1 ❶ 이길 ∨ 수 ∨ 있었어.
❷ 튼튼한 ∨ 것 ∨ 같아.

2 ❶ 아빠의 요 리 는 정말 맛있어요.
❷ 너는 노래를 정말 잘 한 다.

3 춤을 ∨ 정말 ∨ 잘 ∨ 추는구나.

119쪽

똑똑한 하루 글쓰기 마무리

예 효영아, 너는 옷을 예쁘게 입는 것 같아. 나중에 멋진 디자이너가 될 거야.
용주가

예 유진아, 너는 정말 환하고 밝게 웃는 것 같아. 너를 보면 항상 기분이 좋아져.
성민이가

예 희수야, 줄넘기를 매일 열심히 연습하더니 실력이 많이 좋아졌구나. 너의 성실한 점을 본받고 싶어.
서윤이가

예 하니야, 너는 책을 정말 열심히 읽는구나. 나도 너처럼 책을 꾸준히 읽도록 노력할게.
성주가

○ 보기 에서 친구가 잘하는 점이나 열심히 노력하는 점 등 칭찬할 점을 하나 골라 칭찬하는 쪽지를 써 봅니다.

채점 기준

구분	답안 내용	
평가 기준	친구를 칭찬할 일과 칭찬한 일에 대한 생각이나 느낌을 넣어 칭찬하는 쪽지를 맞춤법과 띄어쓰기에 맞게 잘 썼습니다.	상
	친구에게 칭찬하는 쪽지를 썼으나 맞춤법과 띄어쓰기가 틀린 부분이 있습니다.	중
	친구를 칭찬하는 말만 넣어 썼습니다.	하

5일

121쪽 하루 글쓰기 미리 보기

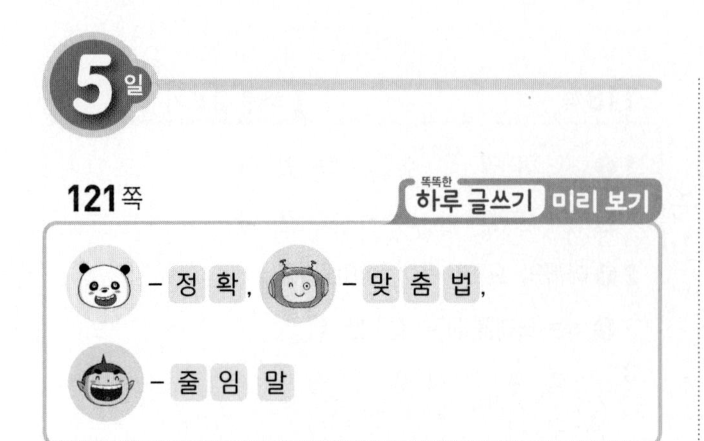

122~123쪽 하루 글쓰기

1 (1) 엄마, 농 구 를 했더니 배가 고파요.

(2) 지온이와 떡 볶 이 를 먹고 가도 될까요?

2 ❶ 엄마, 농 구 를 했 더 니 배가 고파요.

❷ 지온이와 떡 볶 이 를 먹 고 가 도 될까요?

3

	엄	마	,	농	구	를	V	했	더
니	V	배	가	V	고	파	요	.	지
온	이	와	V	떡	볶	이	를	V	먹
고	V	가	도	V	될	까	요	?	

1 (1) 희수는 지온이와 농구를 열심히 해서 몹시 배가 고픈 상태입니다.

(2) 희수는 친구인 지온이와 함께 떡볶이를 먹고 집에 가고 싶어 합니다.

2 **1**에서 쓴 엄마께 보낼 문자 메시지의 내용을 두 문장으로 정리해 봅니다.

3 **2**에서 쓴 문장을 넣어 엄마께 보낼 문자 메시지를 완성해 봅니다.

채점 기준

엄마께 보낼 문자 메시지를 맞춤법과 띄어쓰기에 맞게 썼으면 정답입니다.

더 알아보기

문자 메시지

휴대 전화에서 글자판을 이용하여 문자로 된 내용을 상대방에게 전달하는 글을 말합니다.

124쪽 하루 글쓰기 받아쓰기

1 ❶

	연	습	하	고	V	있	었	네	.

❷

	운	동	했	더	니	V	배	고	파	.

2 ❶ 내일 준 비 물 이 뭐니?

❷ 3시에 놀 이 터 에서 만나자.

3

	아	빠	,	치	킨	이	V	먹	고	V
싶	어	요	.							

125쪽 하루 글쓰기 마무리

예 엄마, 생신을 진심으로 축하해요.
엄마, 사랑해요! ♡

예 엄마, 오늘 아침에 늦어서 말씀 못 드렸는데, 생신을 정말 축하드립니다.
엄마, 사랑해요! ♡

○ 나연이가 되어 엄마께 생신을 축하하는 문자 메시지를 써 봅니다.

채점 기준

구분	답안 내용	
평가 기준	엄마의 생신을 축하하는 내용으로 문자 메시지를 맞춤법이나 띄어쓰기를 바르게 하여 잘 썼습니다.	상
	엄마의 생신을 축하하는 내용으로 문자 메시지를 썼으나 맞춤법이나 띄어쓰기가 틀린 부분이 있습니다.	중
	엄마의 생신을 축하하는 내용을 넣어서 쓰지 못하였습니다.	하

더 알아보기

문자 메시지를 쓸 때 주의할 점

- 상대방에게 하고 싶은 말을 간단하고 정확하게 씁니다.
- 바르고 고운 말로 맞춤법에 맞게 씁니다.
- 줄임 말을 쓰지 않습니다.

특강 똑똑한 하루 창의·융합·코딩

127쪽

우리 엄마는 동네에 모르는 사람이 없을 정도로 발이 넓다.

128쪽

○ '어떤 모임에 참가해 줄 것을 청함.'이라는 뜻의 낱말은 '초대', '도와주거나 보살펴 주려고 마음을 씀.'이라는 뜻의 낱말은 '배려', '미리 마련하여 갖춤.'이라는 뜻의 낱말은 '준비'입니다.

왜 틀렸을까?

- **방문**: 어떤 사람이나 장소를 찾아가서 만나거나 봄.
  - 예 친구가 갑자기 우리 집에 방문했다.
- **무시**: 사람을 낮추어 보아 하찮게 대함.
  - 예 오늘 친구에게 무시를 당해서 기분이 좋지 않다.
- **시작**: 어떤 일이나 행동의 처음 단계를 이루거나 그렇게 함. 또는 그 단계.
  - 예 수업 시작을 알리는 종이 울렸다.

129쪽

(1)

(○)

○ 위의 코딩 명령어로 친구의 집을 찾아가면 다음과 같습니다.

130쪽

(1) 시작하는 시각　　(2) 끝나는 시각

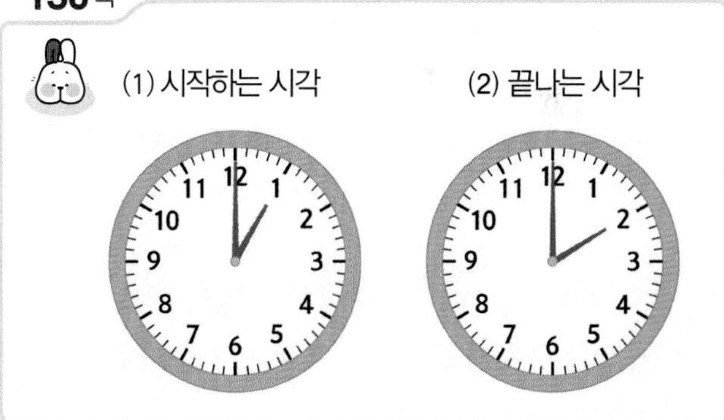

○ 시작하는 시각은 오후 1시이고, 끝나는 시각은 오후 2시입니다. 시계에 긴바늘과 짧은바늘로 각각의 시각을 표시해 봅니다.

131쪽

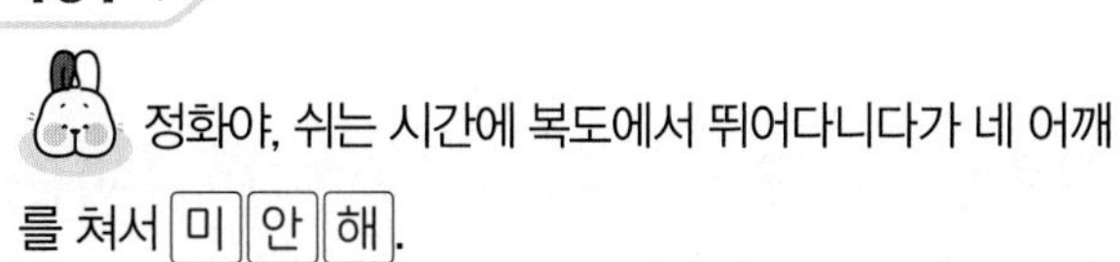

정화야, 쉬는 시간에 복도에서 뛰어다니다가 네 어깨를 쳐서 미안해.

○ 그림을 보고 글자를 찾아 쓰면 사과하는 쪽지에 들어갈 말을 알 수 있습니다.

평가 누구나 100점 테스트

132~133쪽

1 (2) ○
2 초 대 하는 쪽지 쓰기
3 (1) ② (2) ①
4 희수
5 죄 송 합 니 다
6 고마운 마음
7 (1) ○
8 지수야, 너는 참 인 사 를 잘하는구나. 나도 너의 그런 점을 본받고 싶어.
9 동권
10 (1) × (2) ○

1 전하고자 하는 내용의 글을 종이에 간단하게 쓰는 것을 쪽지 쓰기라고 합니다.

2 달래가 기찬이에게 자신의 생일잔치에 초대하는 쪽지를 쓴 것입니다.

더 알아보기

쪽지 쓰기의 종류 예

- 누군가에게 잘못한 일이 있을 때 미안한 마음을 담아서 쓰는 사과하는 쪽지 쓰기
- 고마운 사람에게 고마운 마음을 담아서 쓰는 고마움을 표현하는 쪽지 쓰기
- 친구가 잘하는 점이나 친구가 열심히 노력하는 점 등 칭찬할 일을 생각해서 쓰는 칭찬하는 쪽지 쓰기

3 (1)은 초대하는 쪽지에 들어가는 말로 알맞고, (2)는 사과하는 쪽지에 들어가는 말로 알맞습니다.

4 그림에서 남자아이가 여자아이의 발을 밟았으므로 '발을 밟아서 미안해.'라는 말을 넣어 사과하는 쪽지를 쓸 수 있습니다.

5 지수가 아래층 할머니께 집 안에서 뛰어다녀서 죄송하다는 말을 넣어 사과하는 쪽지를 쓴 것입니다. '죄송합니다'를 찾아 바르게 따라 써 봅니다.

6 두루미는 자신을 배려해 준 여우에게 고마운 마음을 담아 고마움을 표현하는 쪽지를 썼습니다.

7 그림의 여자아이가 자신이 다쳤을 때 가방을 대신 들어 준 남자아이에게 고마움을 표현하는 쪽지를 쓴 것은 (1)번입니다.

왜 틀렸을까?

(2) '너는 운동을 매일 잊지 않고 하는구나. 나도 너처럼 꾸준히 운동을 해야겠어.'는 친구를 칭찬하는 쪽지 쓰기를 한 것입니다.

8 그림에서 지수가 선생님께 바르게 인사를 하고 있습니다.

9 그림에서 남자아이는 여자아이가 글씨를 예쁘게 쓰는 것을 보고 감탄하고 있습니다.

왜 틀렸을까?

지헌이의 '너는 춤을 정말 잘 추는구나.'에 어울리는 그림은 다음과 같습니다.

10 문자 메시지를 쓸 때에는 자신이 하고 싶은 말을 정확하고 간단하게 쓰고, 줄임 말을 쓰지 않도록 합니다.

136~137쪽 이번 주에는 무엇을 공부할까? ❷

1-1 (4) ×　　1-2 날 씨
2-1 ㉰　　2-2 남 는

1-1 그림일기에는 기억에 남는 일을 씁니다.

1-2 '바람이 휘 부는 날'은 날씨를 나타내는 말입니다.

2-1 그림일기를 쓸 때에는 먼저 하루 동안에 겪은 일을 떠올리고 기억에 남는 일을 고릅니다. 그다음에 날짜와 요일, 날씨를 쓴 뒤 그림을 그리고 기억에 남는 일과 생각이나 느낌을 씁니다.

2-2 낮에 놀이터에서 줄넘기 연습을 한 일이 가장 기억에 남는다는 말과 이 일을 그림일기로 써야겠다는 말로 보아 기억에 남는 일을 골랐습니다.

1일

139쪽 똑똑한 하루 글쓰기 미리 보기

❶ 남 는, ❷ 기 억, ❸ 느 낌

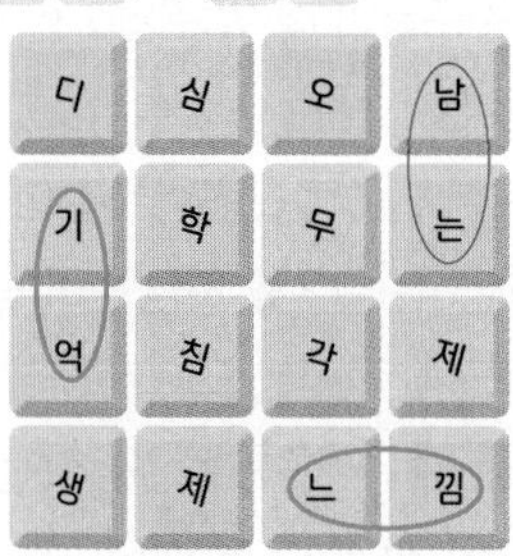

140~141쪽 똑똑한 하루 글쓰기

1 (1) 낮에 놀 이 터 에서 있었던 일이다.
(2) 줄 넘 기 를 열심히 연습했다.

2 낮에 놀 이 터 에서 줄 넘 기 를 열심히 연 습 했다.

3 예 낮에 놀이터에서 줄넘기를 열심히 연습한 일을 그림일기에 써야겠어.

1 (1) 낮에 '놀이터'에서 있었던 일입니다.
(2) 달래는 '줄넘기'를 열심히 연습했습니다.

2 언제, 어디에서, 무엇을 했는지 한 문장으로 정리하여 씁니다.

더 알아보기

두 문장을 한 문장으로 정리하여 쓰는 방법

각각의 문장에서 중요한 내용을 찾아 정리하면 됩니다. 첫 번째 문장에서는 일이 일어난 시간과 장소가 중요하고, 두 번째 문장에서는 일어난 일이 중요합니다. 따라서 이러한 내용들이 잘 드러나도록 정리하여 쓰면 됩니다.

3 달래가 그림일기에 쓸 내용은 낮에 놀이터에서 줄넘기를 열심히 연습한 일입니다.

채점 기준

낮에 놀이터에서 줄넘기를 열심히 연습한 일이라는 내용이 되도록 자연스럽게 썼으면 정답입니다.

142쪽 똑똑한 하루 글쓰기 받아쓰기

1 ❶ 이 를 ∨ 닦 았 다 .
❷ 숙 제 를 ∨ 했 다 .

2 ❶ 아침에 갯 벌 에서 조개를 주웠다.
❷ 낮에 바닷가에서 모래성을 쌓 았 다 .

3 좋 아 하 는 ∨ 노 래 를 ∨ 불 렀 다 .

143쪽 똑똑한 하루 글쓰기 마무리

❶ 낮 에 ∨ 밭 에 서 ∨ 감 자 를 ∨ 캔 ∨ 일 이 ∨ 기 억 에 ∨ 남 는 다 .

❷ 저 녁 에 ∨ 집 에 서 ∨ 과 자 를 ∨ 만 든 ∨ 일 이 ∨ 기 억 에 ∨ 남 는 다 .

❸ 늦 은 ∨ 밤 에 ∨ 산 에 서 ∨ 길 을 ∨ 잃 은 ∨ 일 이 ∨ 기 억 에 ∨ 남 는 다 .

○ ❶에는 낮에 밭에서 감자를 캔 일, ❷에는 저녁에 집에서 과자를 만든 일, ❸에는 늦은 밤에 산에서 길을 잃은 일을 기억에 남는 일로 씁니다.

채점 기준

구분	답안 내용	
평가 기준	❶~❸ 모두 그림에 어울리는 내용을 알맞게 썼습니다.	상
	❶~❸ 중 두 가지만 그림에 어울리는 내용을 알맞게 썼습니다.	중
	❶~❸ 중 한 가지만 그림에 어울리는 내용을 알맞게 썼습니다.	하

2일

145쪽 똑똑한 하루 글쓰기 미리 보기

146~147쪽 똑똑한 하루 글쓰기

1 (1) 하늘에 무 지 개 가 뜬 날
(2) 보 름 달 이 환하게 웃는 날
2 ❶ 예 날씨: 하늘에 무지개가 뜬 날
❷ 예 날씨: 보름달이 환하게 웃는 날

1 (1) 하늘에 무지개가 뜬 날의 모습입니다.
(2) 보름달이 떠 있는 날이므로 보름달이 환하게 웃는 날이라고 나타낼 수 있습니다.

(더 알아보기)

무지개와 보름달의 특징에 대해 알아보기

- **무지개**: 공중에 떠 있는 물방울이 햇빛을 받아 나타나는, 반원 모양의 일곱 빛깔의 줄로 흔히 비가 그친 뒤 태양의 반대쪽에서 나타납니다. 보통 바깥쪽에서부터 빨강, 주황, 노랑, 초록, 파랑, 남색, 보라의 차례입니다.
- **보름달**: 음력 보름날 밤에 뜨는 둥근달입니다.

2 ❶의 그림일기는 무지개를 처음 보아서 설레는 마음이 든 내용이 나와 있으므로, '하늘에 무지개가 뜬 날'이 날씨로 알맞습니다. ❷는 보름달이 뜬 날 강강술래를 한 내용이 나와 있으므로, '보름달이 환하게 웃는 날'이 날씨로 알맞습니다.

채점 기준

그림일기에 어울리는 날씨를 잘 썼으면 정답입니다.

148쪽 똑똑한 하루 글쓰기 받아쓰기

1 ❶ 무 지 개 가 ∨ 떴 어 요 .
❷ 보 름 달 이 ∨ 떴 어 요 .
2 ❶ 이 슬 비 가 부슬부슬 오는 날
❷ 차가운 바 람 이 쌩쌩 부는 날
3 구 름 ∨ 한 ∨ 점 ∨ 없 이 ∨
맑 은 ∨ 날 이 다 .

149쪽 똑똑한 하루 글쓰기 마무리

❶ 예 솜사탕 같은 구름이 떠 있는 날 / 예 구름이 솜사탕처럼 뭉게뭉게 뜬 날
❷ 예 햇살이 포근한 날 / 예 포근한 햇살이 내리쬐는 날
❸ 예 눈이 펑펑 내리는 날 / 예 하얀 눈이 펑펑 내려온 날

○ ❶에는 솜사탕 같은 구름이 떠 있는 날씨를 나타내는 말을 씁니다. ❷에는 햇살이 포근한 날씨를 나타내는 말을 씁니다. ❸에는 눈이 펑펑 내리는 날씨를 나타내는 말을 씁니다.

채점 기준

구분	답안 내용	
평가 기준	❶~❸에 각각 보기 의 말을 모두 넣어 날씨를 나타내는 말을 알맞게 썼습니다.	상
	❶~❸ 중 두 가지만 보기 의 말을 모두 넣어 날씨를 나타내는 말을 알맞게 썼습니다.	중
	❶~❸ 중 한 가지만 보기 의 말을 모두 넣어 날씨를 나타내는 말을 알맞게 썼습니다.	하

151쪽

똑똑한 하루 글쓰기 미리 보기

152~153쪽

똑똑한 하루 글쓰기

1 (1) 오후에 갑자기 [비]가 내렸다.

(2) 집에 오는 길에 친구와 [우][산]을 같이 썼다.

2 오후에 갑자기 [비]가 내려서 집에 오는 길에 친구와 [우][산][을] [같][이] [썼][다].

3

	오	후	에	∨	갑	자	기	∨	비
가	∨	내	려	서	∨	집	에	∨	오
는	∨	길	에	∨	친	구	와	∨	우
산	을	∨	같	이	∨	썼	다	.	

1 (1) 그림에는 비가 내리는 모습이 나타나 있습니다.

(2) 그림에는 친구와 우산을 같이 쓴 모습이 나타나 있습니다.

2 **1**에서 일어난 일을 한 문장으로 다시 써 봅니다.

3 **2**에서 쓴 문장을 넣어 일기에 들어갈 기억에 남는 일을 씁니다.

채점 기준

오후에 갑자기 비가 내려서 집에 오는 길에 친구와 우산을 같이 쓴 내용을 알맞게 썼으면 정답입니다.

154쪽

똑똑한 하루 글쓰기 받아쓰기

1 ❶

	갑	자	기	∨	비	가	∨	왔	다.

❷

	당	황	한	∨	친	구			

2 ❶ 장난감을 [망][가][뜨][렸][다].

❷ 운동장에서 [뛰][어][놀][았][다].

3

	야	구	∨	시	합	에	서	∨	우
리	∨	반	이	∨	이	겼	다	.	

155쪽

똑똑한 하루 글쓰기 마무리

❶ 예

	공	원	에	서	∨	강	아	지	를	∨
잃	어	버	렸	다	.	강	아	지	를	∨
잃	어	버	려	서	∨	슬	펐	다	.	

예

	강	아	지	를	∨	공	원	에	서	∨
잃	어	버	렸	다	.	강	아	지	를	∨
잃	어	버	려	서	∨	슬	펐	다	.	

❷ 예

	아	버	지	께	∨	자	전	거	를	∨
선	물	∨	받	았	다	.	자	전	거	
가	∨	생	겨	서	∨	기	뻤	다	.	

예

	자	전	거	를	∨	아	버	지	께	∨
선	물	∨	받	았	다	.	자	전	거	
가	∨	생	겨	서	∨	기	뻤	다	.	

○ ❶은 공원에서 강아지를 잃어버려서 슬펐던 일에 대해 쓴 그림일기입니다. ❷는 아버지께 자전거를 선물 받아서 기뻤던 일에 대해 쓴 그림일기입니다.

채점 기준

구분	답안 내용	
평가 기준	❶과 ❷에 각각 보기 의 말을 모두 알맞게 넣어 기억에 남는 일을 썼습니다.	상
	❶과 ❷에 각각 보기 의 말을 모두 넣어 기억에 남는 일을 썼지만, 틀린 글자가 있습니다.	중
	❶과 ❷ 중 한 가지만 보기 의 말을 모두 넣어 기억에 남는 일을 썼습니다.	하

4일

157쪽

똑똑한 하루 글쓰기 미리 보기

158~159쪽

똑똑한 하루 글쓰기

1 (1) 동물원에 가서 [책]에서만 보았던 동물을 직접 보았다.
(2) 정말 [신][기][했][다].

2 동물원에 가서 [책][에][서][만] 보았던 동물을 직접 보니 [정][말] [신][기][했][다].

3 동물원에 가서 책에서만 보았던 동물을 직접 보니 정말 신기했다.

1 (1) 동물원에 가서 책에서만 보았던 하마와 같은 동물을 직접 보았습니다.
(2) 동물원에 가서 책에서만 보았던 동물을 직접 보았을 때 정말 신기한 마음이 들었을 것입니다.

왜 틀렸을까?

달에서는 하마와 같은 동물을 볼 수 없습니다. 따라서 '달'은 (1)의 빈칸에 들어갈 말로 알맞지 않습니다. '부러웠다'는 '남의 좋은 일이나 물건을 보고 자기도 그런 일을 이루거나 그런 물건을 가졌으면 하고 바라는 마음이 있었다.'라는 뜻이므로 (2)의 빈칸에 들어갈 말로 알맞지 않습니다.

2 **1**에서 완성한 문장을 한 문장으로 다시 써 봅니다.

3 **2**에서 완성한 문장을 넣어 동물원에서 기억에 남는 일에 대한 생각이나 느낌을 씁니다.

채점 기준

동물원에 가서 기억에 남는 일에 대한 생각이나 느낌을 알맞게 썼으면 정답입니다.

160쪽

똑똑한 하루 글쓰기 받아쓰기

1 ❶ 매우 기대되었다.
❷ 정말 맛있었다.

2 ❶ 친구가 갑자기 나타나서 깜짝 [놀][랐][다].
❷ 상을 탄 친구가 [부][러][웠][다].

3 선생님께 꾸중을 들어서 창피했다.

161쪽

똑똑한 하루 글쓰기 마무리

❶ 예 처음에는 내가 이겨서 신바람이 났다.
예 처음에는 내가 이겨서 재미가 있었다.
예 처음에는 내가 이겨서 기분이 좋았다.

❷ 예 그런데 결국에는 내가 졌다. 속상해서 입을 삐죽였다.
예 그런데 결국에는 내가 졌다. 아쉬워서 입을 삐죽였다.
예 그런데 결국에는 내가 졌다. 짜증 나서 입을 삐죽였다.

○ ❶에는 친구들과 공기놀이를 했는데 이겼을 때의 생각이나 느낌을 나타내는 말을 써야 합니다. ❷에는 친구들과 공기놀이를 했는데 결국 졌을 때의 생각이나 느낌을 나타내는 말을 써야 합니다.

채점 기준

구분	답안 내용	
평가 기준	❶과 ❷ 모두 보기 의 말 중 한 가지를 넣어 생각이나 느낌을 알맞게 썼습니다.	상
	❶과 ❷ 모두 보기 의 말 중 한 가지를 넣어 생각이나 느낌을 썼지만, 띄어쓰기가 틀린 부분이 있습니다.	중
	❶과 ❷ 중 한 가지만 보기 의 말 중 한 가지를 넣어 생각이나 느낌을 썼습니다.	하

5일

163쪽 똑똑한 하루 글쓰기 미리 보기

❶ 기 억, ❷ 날 씨, ❸ 그 림

164~165쪽 똑똑한 하루 글쓰기

1 날씨: 해가 쨍 쨍

2 저녁에 ∨ 아버지 ∨ 양말을 ∨ 벗겨 ∨ 드렸다.

3 아버지께 도움이 되어 뿌듯했다.

1 준서가 쓰려는 날씨를 나타내는 말로는 '해가 쨍쨍'이 알맞습니다.

왜 틀렸을까?

'살랑'은 '조금 사늘한 바람이 가볍게 부는 모양.'을 뜻하는 말입니다. '꽁꽁'은 '물체가 매우 단단히 언 모양.'을 뜻하는 말입니다.

2 저녁에 아버지 양말을 벗겨 드린 일을 그림일기에 쓸 일로 떠올렸습니다.

3 아버지 양말을 벗겨 드려 아버지께서 편안히 주무시는 데 도움이 된 것 같아 뿌듯했을 것입니다.

166쪽 똑똑한 하루 글쓰기 받아쓰기

1 ❶ 오늘은 ∨ 해가 ∨ 쨍쨍

❷ 학교에 ∨ 같이 ∨ 가자.

2 ❶ 체육 대회에서 우리 편이 상을 받 았 다.

❷ 우리 편이 정말 자 랑 스 러 웠 다.

3 아버지와 ∨ 야구장에 ∨ 가서 ∨ 신이 ∨ 났다.

167쪽 똑똑한 하루 글쓰기 마무리

예 ❶ 흐림

아침밥을 준비하시는 어머니를 보고 ❷열심히 도와드렸다. 어머니께서 칭찬해 주셔서 ❸날아갈 듯 기뻤다.

예 ❶ 구름이 많은 날

아침밥을 준비하시는 어머니를 보고 ❷감사하다고 말했다. 어머니께서 칭찬해 주셔서 ❸매우 뿌듯했다.

○ ❶에는 날씨를 나타내는 말을 씁니다. ❷에는 기억에 남는 일을 씁니다. ❸에는 기억에 남는 일에 대한 생각이나 느낌을 씁니다.

채점 기준

구분	답안 내용	
평가 기준	❶은 '흐림', '구름이 많은 날', ❷는 '열심히 도와드렸다.', '감사하다고 말했다.', ❸은 '날아갈 듯 기뻤다.', '매우 뿌듯했다.' 중 한 가지를 알맞게 넣어 썼습니다.	상
	❶은 '흐림', '구름이 많은 날', ❷는 '열심히 도와드렸다.', '감사하다고 말했다.', ❸은 '날아갈 듯 기뻤다.', '매우 뿌듯했다.' 중 한 가지를 넣어 썼지만, 띄어쓰기나 글자가 틀린 부분이 있습니다.	중
	❶~❸ 중 한 가지만 알맞은 내용을 넣어 썼습니다.	하

특강 똑똑한 하루 창의·융합·코딩

169쪽

우리 형은 어른스러워서 "머 리 가 크 다"라는 말을 자주 듣는다.

170쪽

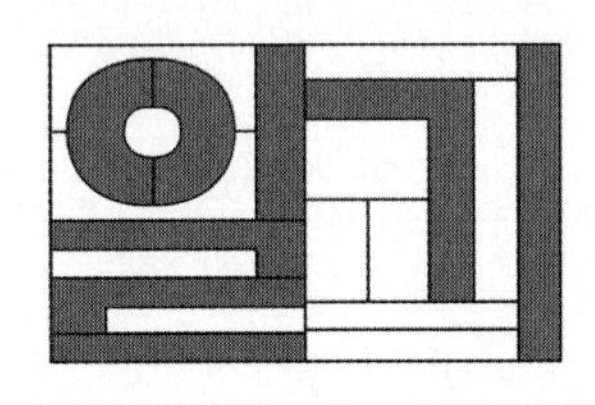

- '날짜', '요일', '날씨', '그림', '기억에 남는 일', '생각이나 느낌'을 색칠해 봅니다. 알맞게 색칠을 하면 '일기'라는 글자가 나타납니다.

더 알아보기

그림일기에 들어가는 내용 알아보기
- **날짜**: 20○○년 3월 9일에 쓴 일기입니다.
- **요일**: 토요일에 쓴 일기입니다.
- **날씨**: 날씨는 비가 뚝뚝 내린다고 하였습니다.
- **기억에 남는 일**: 컴퓨터를 하고 싶었는데 엄마가 공부하라고 혼내신 일입니다.
- **생각이나 느낌**: 슬프고 화가 났습니다.

171쪽

글쓴이가 오늘 넘은 줄넘기 수는 어제 넘은 줄넘기 수 5 번에 4 번을 더해 9 번이에요.

- 그림일기의 내용을 보면 어제는 줄넘기를 5번 넘었는데, 오늘은 어제보다 4번 더 넘었다고 하였으므로 '5+4=9'와 같이 계산할 수 있습니다.

172쪽

(3) ○

- 그림일기에 그림을 그릴 때에는 기억에 남는 장면을 그려야 합니다. 이 그림일기는 새 강아지가 생긴 일에 대해 썼으므로, 새 강아지를 보고 기뻐하는 모습을 그림으로 그리는 것이 알맞습니다.

왜 틀렸을까?

(1)은 토끼 모양의 케이크를 받고 기뻤던 일을 일기로 쓸 때, (2)는 곰 인형을 선물 받은 일을 일기로 쓸 때 그릴 그림으로 알맞습니다.

173쪽

20○○년 12월 12일 목요일	날씨: 맑음

- 화살표 카드를 따라 차례대로 한 칸씩 이동하면 '맑음'에 도착하게 됩니다.

평가 누구나 100점 테스트

174~175쪽

1 진희
2 날씨
3 (2) ○
4 쌓았다
5 (1) 화난 번 개가 소리치는 날
(2) 하얀 눈이 펑펑 내려온 날
6 흐림
7 (2) ○
8 속 상 해 서 ∨ 입 을 ∨ 삐 죽 였 다 .
9 아버지께 자전거를 선물 받았다. 자전거가 생겨서 기 뻤 다.
10 오늘은 보름달이 떴다. 환하게 웃는 것처럼 보이는 보름달 아래에서 가족들과 강 강 술 래를 했다. 함께 손을 잡고 원을 그리며 빙빙 돌고 나니 정말 즐 거 웠 다.

1 그림일기를 쓸 때에는 '하루 동안에 겪은 일 떠올리기, 기억에 남는 일 고르기, 날짜와 요일, 날씨 쓰기, 그림을 그리고 기억에 남는 일과 생각이나 느낌 쓰기' 차례로 써야 합니다.

2 그림일기에는 '날짜', '요일', '날씨', '그림', '기억에 남는 일', 일에 대한 '생각이나 느낌'이 들어가야 합니다. 그림일기를 보면 날씨 부분이 비어 있음을 알 수 있습니다.

3 달래는 매일 하는 칫솔질보다는 오늘 낮에 놀이터에서 줄넘기를 연습한 일이 기억에 남는다고 하였습니다. 그림일기에 쓸 내용을 고를 때는 기억에 남는 일을 골라야 하므로 달래는 줄넘기를 연습한 일을 그림일기에 쓸 것입니다.

4 '쌓았다'는 '[싸안따]'로 소리 나지만, 쓸 때는 '쌓았다'로 써야 합니다. 소리와 글자가 다른 말에 주의합니다.

5 (1)의 그림은 번개를 나타낸 것입니다. (1)의 '화난 번개가 소리치는 날'은 번개와 천둥이 치는 날씨를 사람처럼 나타내어서 날씨를 재미있게 나타내고 있습니다. (2)의 그림은 눈을 나타낸 것입니다. (2)에서 '하얀 눈이 펑펑 내려온 날'은 눈이 내리는 날씨를 '펑펑'이라는 흉내 내는 말을 사용하여서 재미있게 나타내고 있습니다.

> **더 알아보기**
> 날씨를 재미있게 나타내는 방법
> • 꾸며 주는 말을 사용합니다.
> 예 차가운 바람이 몰아치는 날
> • 흉내 내는 말을 사용합니다.
> 예 뚝뚝 빗방울이 떨어지는 날
> • 사람처럼 나타냅니다.
> 예 해님이 미소 짓는 날

6 구름이 가득한 날에 알맞은 날씨는 '흐림'입니다.

> **더 알아보기**
> '회색 옷을 입은 구름이 가득한 날'은 '회색 옷을 입은'이라는 표현을 사용해 날씨를 사람처럼 나타내고 있습니다.

7 그림일기의 내용을 보면 공기놀이를 하였다고 했고, 그림에서 친구들과 공기놀이를 하고 있으므로 이 그림일기에 나타난 기억에 남는 일은 친구들과 공기놀이를 한 일입니다.

8 공기놀이에서 졌으므로 속상했을 것입니다.

9 내용을 보면 아이는 아버지께 자전거를 선물 받았으므로, 기뻤을 것입니다.

10 그림을 보면 보름달 아래에서 함께 손을 잡고 원을 그리며 빙빙 돌면서 강강술래를 하는 모습이 나타나 있습니다. 가족들과 함께한 놀이이며, 그림에서 사람들이 모두 웃고 있으므로 가족들과 함께 강강술래를 해서 즐거웠다는 내용이 오는 것이 알맞습니다.

memo

편지 쓰기

기억에 남는 일을 일기로 남겨 봐요.

즐겁고 행복했던 일

날짜:

날씨:

제목:

슬프고 속상했던 일

날짜:

날씨:

제목:

정답은
이 안에
있어!

기초 학습능력 강화 프로그램

매일 조금씩 공부력 UP!

국어

예비초~초6

수학

예비초~초6

영어

예비초~초6

봄·여름 가을·겨울

(바·슬·즐)

초1~초2

안전

초1~초2

사회·과학

초3~초6

똑 똑 한 하루 사회 3-1

똑 똑 한 하루 과학 3-1

배움으로 행복한 내일을 꿈꾸는

천재교육 커뮤니티 안내

교재 안내부터 구매까지 한 번에!

천재교육 홈페이지

천재교육 홈페이지에서는 자사가 발행하는 참고서,
교과서에 대한 소개는 물론 도서 구매도 할 수 있습니다.
회원에게 지급되는 별을 모아 다양한 상품 응모에도
도전해 보세요.

구독, 좋아요는 필수! 핵유용 정보 가득한

천재교육 유튜브 <천재TV>

신간에 대한 자세한 정보가 궁금하세요?
참고서를 어떻게 활용해야 할지 고민인가요?
공부 외 다양한 고민을 해결해 줄 채널이 필요한가요?
학생들에게 꼭 필요한 콘텐츠로 가득한 천재TV로 놀러 오세요!

다양한 교육 꿀팁에 깜짝 이벤트는 덤!

천재교육 인스타그램

천재교육의 새롭고 중요한 소식을 가장 먼저 접하고 싶다면?
천재교육 인스타그램 팔로우가 필수!
누구보다 빠르고 재미있게 천재교육의 소식을 전달합니다.
깜짝 이벤트도 수시로 진행되니 놓치지 마세요!